講談社文庫

レッドゾーン(下)

真山 仁

講談社

目次

上巻／目次

レッドゾーン　下巻

レッドゾーン・下◎主な登場人物

サムライ・キャピタル（投資ファンド）

鷲津政彦　社長
リン・ハットフォード　会長、鷲津の公私にわたるパートナー
サム・キャンベル　専務兼調査会社ボーダレス代表
前島朱実　ヴァイス・プレジデント
孫《スン》　剛建《ガンジアン》　調査役、元新華社通信記者

アカマ自動車

赤間周平　最高顧問
赤間太一郎　副社長、周平の甥
古屋貴史　社長
大内成行　取締役社長室長
保阪時臣　社長室次長

マジテック

藤村登喜男　故人、前社長
藤村浅子　登喜男の妻で現社長
藤村朝人　藤村夫妻の長男、大手家電メーカー研究員
藤村望　藤村夫妻の次男
桶本五郎　社員、ベテランの金型職人

芝野健夫　事業再生家（ターンアラウンド・マネージャー）
堂本征人　ジャパン・ジャーナル社元社長、フリージャーナリスト
飯島亮介　ニッポン・ルネッサンス機構（NRO）総裁
王《ワン》　烈《リエ》　中国の国家ファンド（CIC）の幹部
賀《ホー》　一華《イーファア》　上海の買収王、上海投資公司総経理
謝《シエ》　慶齢《チンリン》　米系法律事務所スミス＆ウィルソン上海事務所弁護士
鍾《ジヨン》　論《ルン》　颯爽汽車CEO
将《ジヤン》　英龍《ヤンロン》　香港の財閥の御曹司
喬《チヤオ》　慶《チン》　中国財政部・外国投資部門責任者
加地俊和　アイアン・オックス・キャピタル社長
アラン・ウォード　鷲津の部下、2004年死亡
美麗《メイリ》　アランの婚約者

第二章　挑発（承前）

2

二〇〇八年六月九日　山口・赤間

「一体、どういう神経をしているんだ。友好的パートナーシップが聞いて呆れる！　どうしてあんな奴に、紳士的な対応をしなきゃいけないんです。七％ぐらいの株を手に入れた程度で何ができる。やれるもんなら、やってもらおうじゃないか」

百華集団《バイファグループ》を丁重に送り出した後、再び役員会議室に戻るなり太《た》一郎《いちろう》が怒りをぶちまけた。大半の役員が同意するように頷いた。

買収防衛対策本部のメンバーとして、社長の古屋《ふるや》や太一郎ら七人の取締役と、三人の事務局員、外部アドバイザーの加地《かじ》と彼の右腕と言われるシニアパートナーの清田《せいだ》達平《たつぺい》が同席していた。さらに、L　A《リーガル・アドバイザー》として弁護士が二人、そしてCPA（公認会計士）が一人加わっていた。

「赤間《あかま》副社長、もう少し自重してください。感情的になっては、相手の思う壺です」

太一郎の態度が目に余った大内《おおうち》は、思わず苦言を呈した。

「何を呑気なことを言ってるんだ。あんたらが弱腰だから、こんな目に遭うんだ」

思わず反論しそうになるのをこらえて、大内は頭を下げた。

「申し訳ありません。私たちが至らなかった点については、いくらでもお詫び致します。しかし今は、社が一丸となって難局に立ち向かう時ですので」

「こんなものは難局でも何でもない。賀一華《ホーイーファ》など単なるお調子者に過ぎない。放っておけばいいんだ。それよりまず、すべきことがあるだろうが」

太一郎はヒステリックに喚き散らした。古屋が何も言わないので大内が代わりに訊ねた。

「お言葉ですが、まずすべきこととは何です」

「決まっているだろう。故・周平《しゆうへい》最高顧問の盛大な社葬と、今後のアカマの体制についての協議だ」

社葬の葬儀委員長を務めるのを機に、太一郎は社長禅譲を迫ろうとしているという噂を、大内は思い出した。危急存亡の秋《とき》に、この愚か者の頭には己の栄達しかないようだった。大内は殴りつけてやりたいのを必死で抑えて、冷静に返した。

「社葬の準備は、曾我部《そがべ》会長が粛々と進めておられます。また、今後のアカマについては、現体制でより強固に結束するということで、常務会での一致を見たはずですが」

「上海のホリエモンに振り回されるような経営陣で、本当に大丈夫なんだろうかね」

太一郎が嫌みを吐くと、加地が割って入った。

「まあ、坊ちゃん。八つ当たりするのも、そのくらいになさい。あなたも経営陣の一人です。お辞めになる覚悟がおありなんですか」

坊ちゃんと呼ばれて太一郎は気色ばんだ。彼の取り巻きも露骨に嫌な顔をしたが、加地は軽くいなした。

「副社長、外部の人間に坊ちゃんと呼ばれて、そんな顔をするのをやめるまで、いくらでもそう呼ばせてもらいますよ。あなたは交渉のイロハであるポーカーフェイスが、まったく身についていない」

「あんたを帝王学の教授として招いた覚えはないよ」

帝王学と来たか。大内がつい失笑しかけた時、加地が豪快な笑い声をあげた。

「これは失礼した。だがね、坊ちゃん。これは帝王学の問題じゃない。企業防衛の常識なんですよ。私は、古屋さんだけじゃなく曾我部会長からも、アカマの防衛についての全権を委任されているんです。その立場から言わせてもらう。今日のような態度を取るのであれば、あなたはひたすら社葬の準備だけに専念するべきだ。あれじゃあ、救えるものも救えなくなる」

大内は胸がすくようだった。古屋も同様のようで、感謝の意を表すように加地を見ていた。

「なんて失礼なんだ。古屋さん、こんな暴言をあなたは許すんですか」

「坊ちゃん。私も加地さんとまったく同意見です。能ある鷹になれとは言いません。しかし、せめて弱い犬ほどよく吠えるという諺ぐらい心に留めておいて欲しい」

古屋にまで〝坊ちゃん〟呼ばわりされた太一郎は、やにわに立ち上がった。

「こんな侮辱を受けるいわれはない。僕は失礼する」

「ちょっとお待ちなさい。あなたに伺いたいことがある」

加地が副社長を呼び止めた。

「なんです」

「先ほど、賀一華が言及したアカマ・アメリカの経営危機の話です」

「あんなのは出まかせだ」

吐き捨てると、太一郎は部屋を出ようとした。

「実はね、私も噂を耳にしていたんですよ。しかし、御社の決算書には、そんな数字はない。ですから、昨日の打ち合わせではお訊ねしなかったんです。企業防衛というのは、チームが一糸乱れず動くことが絶対条件です。正確な情報の共有化が必須だと、昨日も申し上げました。赤間さん、実際のところはどうなんです」

赤間の御曹司は加地の諫言を早くも忘れて、ドアに拳を打ちつけた。

「言ったはずだ、事実無根だと。そんな事実はまったくない」

よりによってこんな状況下で、週末に発覚した事実を披露しなければならないのかと大内はうんざりしながら、加地に声をかけた。

「大内さん、何か」

「身内の恥を晒すようで、お恥ずかしいのですが、先週末、我々の社内調査で、賀氏が指摘した問題点が発覚しました」

会議室内全員の視線が集まったのを感じながら、大内は背後に控えていた保阪から資料ファイルを受け取った。

「アカマ・アメリカの二〇〇六年度の決算は、報告されている数字とは異なり大幅な営業赤字を計上していることが、判明しました」

太一郎の怒声と同席したメンバーらの詰問が入り乱れる中、大内は淡々と報告を続けた。

「これはまだ社長にも報告いたしておりません。我々が具体的な情報を手にしたのが先週の土曜日で、その直後、悲劇が起きたためです」

そう締めくくった大内の言葉で、さっきまで威勢の良かった太一郎がそばにあった椅子に手をかけ、よろめくように崩れ落ちた。古屋の表情からは感情が読み取れなかった。その方が威圧感があった。彼は感情を抑えた声で加地に訊ねた。

「この事実は、買収に際して影響を及ぼしますか」

「甚大と考えるべきですな。連中もすぐには、このカードを切らないでしょう。ひとまずは、友好的買収の交渉を始めたというトーンでまとめるでしょうから」

だが、アカマが交渉を友好的と認めない時には、経営陣に対する不信の一例として、賀はアカマ・アメリカ問題を指摘するだろう。

「僕は何も知らなかった。それは、アメリカの誰かが勝手にやったことだ」

太一郎が声を震わせて、言い逃れを始めた。

「よしたまえ、太一郎さん。たとえあなたが知らない事実でも、当時の社長はあなたなんだ。知らないではすまされない。それよりも加地さん、一刻も早くこの問題の事実確認をして、我々から発表すべきだと思うのですが」

古屋の提案に、加地も賛意を示した。

「賢明な対応だと思います。できるだけ早い方がよろしいですな。漏洩リスクは時間と共に高まりますから」

「社長室次長の保阪を事務局長にした対策本部をすぐにでも設立して、迅速な対応を致します」

「そうしてくれ。太一郎さん、名誉挽回のためにも、あなたが本部長に就いてください。そして、一ドルの齟齬もないように徹底究明するんです。これぞ生きた帝王学です」

古屋は選択の余地を与えず、言い放った。太一郎は呆然としたまま項垂《うなだ》れていた。

「まもなく百華集団の記者会見が始まります」

頃合を見て広報室長が伝えると、会議室正面の壁が開きスクリーンが出現した。

午前一一時半からホテル・アカマグランデの鳳凰の間で、賀一華らによるＴＯＢについての会見が予定されていた。

3

上海

〝我々が求めているのは、積極的に経営参加してアカマ自動車の企業価値を更に高めることと、中国を中心としたアジア戦略を強化することです〟

画面の向こうで端正な顔立ちの中国人が、自説を熱く訴えていた。

慶齢《チンリン》は、賀一華についてほとんど知らない。それでも、世界最大級の自動車メーカーであるアカマ自動車本体にTOBを仕掛けたという事実は、賀がただ者ではないことを証明していた。ただ、このニュースを聞いても、鍾論《ジョンルン》がアカマ自動車の子会社買収交渉を諦めなかったのが、不可解だった。

「私たちのトランザクションも、かなり難しくなってきます」

慶齢は眼鏡越しに、クライアントである鍾の表情を窺った。金茂大厦《ジンマオダーシャ》にあるスミス&ウィルソン上海事務所の会議室で、百華集団によるアカマ自動車TOB事案関連のニュースをまとめたDVDを二人並んで見ていた。映像を見つめる彼の横顔は、普段と変わらず穏やかだった。

「御社に必要なのはＬＡではなく、ＦＡ《ファイナンシャル・アドバイザー》のような気がします」

今さらと言われそうだが、慶齢は提案してみた。

「確かにＦＡもいるなあ」

あまりにあっさり返されて、慶齢は拍子抜けした。鍾はマサチューセッツ工科大学《ＭＩＴ》で電子工学を学んだ後、大学院では金融工学を学びＭＢＡも取得している。いわゆる海亀派と呼ばれる帰国子女のエリートだった。その経歴からすれば、現在の颯爽《サシュアン》汽車が置かれている微妙な立場は、当然、理解しているはずだった。しかし、彼の態度からは、まったく深刻さが伝わってこない。

「どこか、おつきあいのある投資銀行がありますか」

「投資銀行ねえ、めぼしい外資系の銀行には、だいたい知り合いはいます。でも今回の場合、中国でＦＡを探すのは愚行だと思うんだ」

彼は椅子を寄せて、馴れ馴れしく近づいてきた。アメリカ流なのかも知れないが、慶齢は不快だった。

「では、日本でＦＡの候補を探すように、東京事務所に問い合わせてみます」

「そういえば、アメリカの巨大ファンドを負かすほどの買収者《オリジネーター》がいると聞いたけど」

慶齢が嫌がるのも構わず彼はさらに顔を寄せてきた。

「なんて方です」

鍾がこれ以上近づかないように、慶齢は仕事に集中することにした。とりあえず情報検索だと考え、パソコンを開いた。

「確か、鷲だか、鷹だかがつく名前だった」

彼女の脇から手を伸ばしてノートパソコンを奪い取った鍾は〝鷲〟、〝ファンド〟と打ち込んだ。

「ああ、これだ」

鍾が勢い込んでディスプレイを見たので、つい慶齢もつられて彼に近づいてしまった。サムライ・キャピタルというファンドのホームページがヒットしていた。

代表取締役社長、鷲津《わしづ》政彦《まさひこ》――。

彼女はサムライ・キャピタルの業務内容をチェックした。

「ここは純然たるM&A業務だけで、FAは行っていませんね」

「でも、買収を依頼することは可能なんでしょ」

慶齢は一瞬納得しかけたが、そう簡単に思い通りにはならない気がした。

「情報が少な過ぎるので、即答はできません。ザッと見た限りでは、ここはクライアントから企業買収を依頼されて動くようなファンドではなさそうです」

「じゃあ、頑張って説得してもらいたいな」

いつの間にか鍾の息が掛かるほどの距離に詰められていた。慶齢は驚いて身を引こうとしたが、彼の左手が肩を摑んでいた。

「その手、やめてください」

「これは、失礼」

鍾は平然としていた。ばからしくなった慶齢は、ことさら事務的に答えた。

「あくまでもホームページを見ただけの印象ですが。サムライ・キャピタルは企業を買収すると、経営の刷新を図るために経営陣を送り込んで三年から五年かけて社内を活性化させた後、上場するか売却してキャピタルゲインを手にするという典型的なプライベート・エクイティ・ファンドに思えます」

「でも、物事に例外はつきものだよ。そもそもハゲタカファンドが、ビジネスモデルにそんなに固執するものなのだろうか」

慶齢は窓際に据えられたベンダーで二人分のコーヒーを用意しながら答えた。

「問い合わせてみないと、分かりません」

「要はカネじゃないのかな。応分のカネを払えば、買収に手を貸してくれそうだけど」

　そのあたりの判断は、自分にはまだ難しい。反町《そりまち》か、東京オフィスに問い合わせてみなければ分からなかった。

「少しお時間をください。調べてみます。他にもFAができそうなところを当たってみます」

「オッケー、じゃあよろしく」

　窓の外はすっかり暗くなっていた。壁掛け時計を見て、既に午後九時を過ぎているのに気づき慶齢は驚いた。

「まあ、こんな時間。失礼しました。長時間、お引き留めして」

「おなかすいたよね。どうです、食事でも」

「いえ、私はまだ仕事が残っているので」

　鍾は大袈裟に嘆いた。

「いつも君はそうだ。仕事、仕事と言って、一度も僕の誘いを受けてくれない。それは、LAとしてサービス精神に欠けるってもんだろ」

　リーガル・アドバイザーにサービス精神なんていらない。彼女はそう突っぱねたかった。だが、今朝も反町から呼ばれて、「たまには食事ぐらいつきあうように。そういう処世術も弁護士修業だ」と注意されたところだ。

だが、慶齢は鍾が苦手だった。この馴れ馴れしさと、誰もが自分の思い通りに動くと考えているような態度は、鼻持ちならなかった。

「もう少し、君に話しておきたいこともあるんだ。ビジネスのことでね」

この男、信用ならないわ。彼の誘いは、撥ねのけるべきよ――。〝心の友〟がきっぱりと断言していた。慶齢はその忠告に励まされるように、再び真近に迫ってきた鍾から身を躱《かわ》した。

「お仕事の話なら、ここでおっしゃってください。大変申し訳ないのですが、私はまだやり残した仕事があるんです」

鍾が不機嫌になったのが分かった。彼は人差し指を突きつけて慶齢を責めた。

「シャーリー、分かっているんだろうね。僕は、君の大切なクライアントなんだよ。そのクライアントの誘いを無下にして、ただで済むと思っているのかい」

彼が激高してくれたことで、慶齢は落ち着いた。

「鍾さん、私はあなたの法律顧問ではありますが、コンパニオンではありません」

いきなり鍾が慶齢に摑みかかろうとした。身構えながらも彼女は、警告を忘れなかった。

「念のために申し上げますが、この部屋には、カメラが設置されています。あまりひどいことをされると、鍾さんの経歴に傷が付きますよ」

カメラという言葉に、彼は怯んだ。

「僕を脅迫する気かい。君は、僕のパパが誰か知っているんだろうね」

やれやれ、なぜ出来ない人に限って、親の威光を笠に着るのだろうか……、と慶齢は哀しくなった。

「鍾学覇《シユエバー》・安徽《アンホイ》省副書記ですね。以前は国務院で祖父、謝恩邦《シヤエンバン》の部下だったこともおありだと伺いました」

そうでも言わないと彼の傲慢な態度が続くと判断して慶齢は、それまで隠していたカードを切った。鍾は慶齢のことをしっかりと調べていなかったらしく、心底驚いた顔をして彼女から飛び退いた。

そこでまるで計ったようにドアがノックされ、反町が顔を覗かせた。

「あっ、失礼。商談中だったかい」

「いえ、今お帰りです。鍾さん、鷲津氏についての情報は、明日中にまとめてご連絡いたしますので。遅くまでありがとうございました」

彼女は鍾を廊下へと誘《いざな》った。

4

二〇〇八年六月一〇日　東大阪・高井田

映画のセットの中にいるような感覚だった。桶本《おけもと》を何人もの技師や撮影スタッフが取り囲んでいた。普段は薄暗い工場内に煌々とライトが灯り、冷房を強めても脇の下をじんわりと汗が流れた。

体中に線を繋がれた桶本を気の毒に思いながらも、芝野《しばの》は静かにITマイスタープロジェクトのメンバーによる作業を見守っていた。

世間はアカマ自動車の買収話で持ちきりだった。芝野も気にならないと言えばウソになるが、今朝はそれどころではなかった。熟練工の技術を記録するという経済産業省のプロジェクトのモデル企業にマジテックが選ばれ、独立行政法人NEDO、新エネルギー・産業技術総合開発機構のスタッフが朝から乗り込んできたのだ。

「両手をゆっくりと動かしてもらえますか」

藤原修《ふじわらおさむ》と名乗った若いプロジェクトリーダーが、データグローブを装着した桶本に指示した。桶本の両手には、何本もの配線を張りめぐらせた厚手の手袋がはめられていた。さらに頭や腕、肘にまで動きを捕捉するための装置が着いていた。額には小型カメラが取り付けられている。

硬い表情の桶本が言われるままに手を動かすと、芝野の前に並ぶ数台のノートパソコンが記録し始めた。

「ごついなあ、これは。何かSF映画みたいや」

隣で一緒にディスプレイを覗き込んでいた望《のぞむ》が、思わず声を上げた。桶本の動きをアニメーションで表示している画面に驚いているようだった。

藤原らは熟練工の動きの細部を可能な限り精密にデータ化する。年々減少の一途を辿る熟練工の技術の伝承を、人間工学を駆使した方法で記録し、保存しようというのがプロジェクトの目的だった。

芝野が見る限り、神技と呼ばれる熟練工の微妙な技術が、目の前で繰り広げられている方法で克明に記録されるものなのかどうか疑問ではあった。

「では、桶本さん、研磨をお願いします」

金型の仕上げ作業における極意の一つと言われる研磨作業に桶本は取りかかった。

彼の額に装着されたカメラとは別に、加工している金型に焦点が当てられたカメラもあり、それらの情報が全てコンピュータに記録される。

「あの手袋の中には、関節の細かい動きや指圧までも計測できるセンサーが入っているんです。最終的にはそれらを数値化して統合し、立体的な動きをコンピュータ上で再現します」

桶本の動きを見つめながら、藤原が説明した。

「職人の微細な動きを、デジタルがそこまで忠実に捕捉できるもんですか」

記録を続けるコンピュータを眺めながらも、芝野はまだ半信半疑だった。

「難しい言い方をすると、匠《たくみ》の技という暗黙知を形式知に変換するんです」

藤原は三〇歳前後だろうか。杓子定規な官僚っぽさがなく、人当たりの良い技術系の研究所員という印象だった。彼自身が本気でこのプロジェクトに情熱を注いでいるのが感じ取れた。

「せやけど記録しても、それが使えな、意味ないんちゃうんですか」

望らしい現実的な意見に、藤原も苦笑いを浮かべた。

「おっしゃるとおり。ただ、細かい技術の撮影だけでも、貴重なんですよ。もしかすると東大阪では見つからなかった後継者が、東京の大田区の工場で見つかるかもしれないわけで」

「それは殺生な話やなあ。そんなことされたら、俺らの工場はおしまいや」

望の懸念を、芝野も抱いていた。熟練工の腕は、町工場の生命線だった。それぞれが得意分野や個性を持ち、その人にしかできない技があるからこそ、全国、時には海外からも注文が来るのだ。それを普遍化するというのは、ある意味で自殺行為だった。

「そういう場合は、直接面談してもらいます。本当に継承できそうなら、どちらの工場が技術を引き継ぐのかを互いに交渉してもらう。そして、引き継ぐ側が対価を支払うんです」

藤原の説明は、既に事前の電話で芝野も聞いていた。

「そんなことまでお国が、しはるんですか」

「そうでなければ、宝の持ち腐れになるでしょう」

「そのカネがなかったら、どないしますん？」

答える前に藤原は、技師の一人に何か指示を飛ばした。芝野にはとても日本語とは思えないような専門用語の連続だった。ディスプレイで指示通りの修正がなされたらしいのを確認すると、藤原は望の方を向いた。

「必要な資金も政府がお貸しします」

「実際に、そういうケースがあるのですか」

芝野は現実的な興味を口にした。

「残念ながら一件もありません。プロジェクトが始まってもう四年半ですが、改めて熟練工の個人差が大きいことを感じています。サンプルを増やしても、簡単に誰かが真似できるわけではないと思います」

だからこそ、〝匠の技〟と呼ばれるのだろう。

「なら、それをロボットに、やらせるとか。この間テレビで、ロボット君が介護するのを見ましたけど」

望の言葉に、藤原の顔つきが明るくなった。

「いいアイデアだと私は思うんですよ。実は私は大学で、繊細な動きをするロボットの研究をしているんです。ただ、いかんせん費用がかかります。また、長い期間にわたって全面的に職人さんと工場の支援を戴けないと、ロボットによる技術伝承の現実化は厳しい」

一部では、ロボットだけで作業を行う無人工場が既に誕生している。その傾向はさらに強くなり、組み立て作業は、いずれロボットが主力になるかも知れない。そうなっても超えられないのが、熟練工の指先の感覚らしい。

「アニメや映画では簡単そうやけど、そんなに難しいんですか」

望は熱心だった。

「難しいですね。たとえば桶本さんが何気なく行っている作業をデータ化するだけでも、実は膨大な量なんです。しかも、この動きだけで金型がつくれる訳じゃないでしょ。大きさや形状、さらに強度などによって指の動きが違う。そこまで捕捉するとなると、気の遠くなる作業です」

一人の熟練工が長い年月を掛けて磨き鍛えてきた技なのだ。そう簡単にコンピュータのデータに収まってはあんまりだと、芝野としては思わなくもない。

「それをアウトプットしてロボットに移植するために、さらにいくつものハードルがあるんですよ。だから最新鋭のロボットでも、まだ見習い工レベルが精いっぱいです」

その時、彼らの片隅で食い入るように桶本の動きを見つめていた田丸《たまる》が、小さく声を上げた。

「何や、学《まなぶ》ちゃん、どないしてん」

望の問いが聞こえないように、田丸はディスプレイに近づいた。

「そうか、そういう風に指を使《つこ》てはったんか。俺、全然見てへんかったわ」

どうやら桶本の指の動きで、発見があったようだ。

「何の話や？」

田丸はようやく我に返ったように友人を見た。

「おやっさんがやったら、いとも簡単にできたカーブが、俺には全然あかんかってん。でも、今その理由が分かった。俺が見落としていたことが、このカメラで分かってん」

「こういうことに役立つ可能性もあるんです。そばで見ていても、人間の目では桶本さんの全ての動きをフォローできないんです。そこで、我々は彼の指の動きに死角を作らないように、三方からカメラで撮影しているんです。それをいずれ3Dアニメにして、過不足のない動きを再現します」

そばで見つめるだけでは、見えないものがある。全てのものの道理だった。そういう意味でも、このプロジェクトには意味があるのだろう。彼らが集めたデータは、マジテックにも提供される。黙々と作業を続ける桶本を眺めながら、このプロジェクトの結果、田丸の技術向上が進んでくれたらいいと芝野は願った。

「はい、オッケーです」

ディスプレイの前にいた技師が、桶本に声を掛けた。

「お疲れ様でした！」

桶本を囲んでいた者が、口々に労をねぎらった。

「いやあ、想像以上に疲れるなあ。ちょっと一服して、よろしいか」

早くもデータグローブを外そうとする桶本を、藤原が止めた。

「すみません、そのままでお願いできませんか？　一度外すとまた調整に時間がかかるんですよ」

「このままでタバコ吸うても、よろしいんか」

「グローブを焦がさなければ」

藤原が申し訳なさそうに返したのを見て、田丸がすかさず桶本に近づいた。

「おやっさん、俺が手になりますから」

そう言うと、桶本の作業着のポケットからタバコを取り出してくわえさせた。田丸の動きに桶本への並々ならぬ尊敬の念を芝野は感じた。何とか早く田丸が本当の意味で、〝桶本の手〟になって独り立ちできる方法がないかと、芝野は真剣に考え始めた。

5

モントルー

「どうしてもダメですか」

およそ一万キロ離れた場所から縋ってくる声には、悲痛さが滲んでいた。鷲津はレマン湖に浮かぶように建つシヨン城に目をやりながら、相手の申し出を冷たく突き放した。

「残念ですが、私は企業防衛の専門家ではありません」

「だが、あなたなら、賀一華の心理が読めるはずだ」

「私が、彼と同類だからですか」

嫌みのつもりはなかったが、相手は慌てて取り繕おうとした。

「いや、失礼しました。そういう意味ではありません。何とか、今回だけ、あなたの哲学を曲げて、我々を助けてくれませんか」

天下のアカマ自動車の社長が言う台詞ではなかった。鷲津は携帯電話を持ってコテージのテラスに出ると、紺碧の空を見上げた。

「古屋さん、一つだけ方法があります」

「何です？」

湖畔の散歩道を、リンと美麗《メイリ》が並んで歩いているのが見えた。

「私を白馬の騎士《ホワイトナイト》にされることです」

「えっ」

言葉を失った古屋の胸に去来したものは、驚愕だろうか、それとも恐怖だろうか。

鷲津は黙り込んだ相手に、言葉を足した。

「私は買収者です。企業防衛のお手伝いはできませんが、御社を買うことならできます。そういうお申し出なら、いつでもご相談に乗りますよ」

おまえは悪魔か。空の青と同じ色をたたえる湖の美観に目を細めながら、鷲津は自嘲した。

「それは、あなたも弊社を狙っているという意味ですか」

肯定すればどういう反応をするだろう。鷲津は声を出さずに笑った。

「私は、買収できる企業を常に物色していますよ、古屋さん。もちろん、御社を売っていただけるというのであれば、喜んで馳せ参じます」

再び沈黙が訪れた。国際電話にもかかわらず、目の前で古屋が苦悩しているような錯覚に陥った。

賀のＴＯＢなど、想定済みだったのではないのか。そんなことで、第二波、第三波の攻撃に耐えられるのか。そう言ってやりたかった。

リンがこちらを見ているのに気づくと、鷲津は手を振った。彼女は手で銃の形をつくると、彼に向けて発砲してきた。目に見えない弾丸が鷲津を貫いた時、古屋が沈黙を破った。

「私がお訊ねしたのは、そういう意味ではありません。今回の百華集団のＴＯＢに、あなたも関与されているのかを伺いたかったんです」

「百華集団とはなんの関わりもありませんよ」

「では、あなたがＣＩＣの最高買収責任者に就任するというニュースは」

間髪を入れず古屋は問うてきた。

「でたらめです」

電話の向こうで、ため息が漏れた。古屋の余裕のなさが気になった。

「賀が何を考えているのかが分からないんです。ＴＯＢを仕掛けながら、目標値は三分の一強でいいと言う。経営権にも興味はないと。だがね、そんなことがあり得ると思いますか」

そんなことも分からなくなっているほど、アカマは追い詰められているのか。

「以前にも申し上げましたが、私は賀じゃない。したがって、お答えのしようがない」

「失礼しました。最後に一つだけ教えてください。百華集団の中には、あなたがかつて手がけたと言われているジャパン・パーツという総合部品メーカーも含まれている。それでも、あなたは百華集団とは無関係だと」

「懐かしい名前ですね。百華集団の中には、そんな会社も入っているんですね」

また古屋は黙り込んだ。鷲津の真意を推し量るような意志を感じる沈黙だった。

「ご存じなかったんですか」

「恥ずかしながら。さらに申し上げれば、既に私はジャパン・パーツとは縁もゆかりもありません」

「重ね重ねの無礼をお許しください。夜分に失礼しました」

モントルーはまだ午後五時過ぎだったが、日本はもう午前零時を回っているはずだった。電話を切ろうとした瞬間、鷲津は不意に一言付け足したくなっていた。

「古屋さん」

電話はまだ繋がっていた。

「私が申し上げるべきではないのですが、くれぐれも賀の発言にはお気を付けください」

「どういう意味です」

「彼の言動は、全て嘘だと思われる方がいいかも知れません。個人的な感触ですが、賀という男は、私が今まで相手にしてきた欧米の投資家の誰とも違う生理と感覚を持っている気がします」

そんなことをあえて言う必要もなかった。にもかかわらず、アドバイスを口にしていた。古屋の怯えぶりで情にほだされたか。

「どう違うんです」

「ルールに則ってビジネスをするプレイヤーだと思ってはなりません。奴にとってルールとは破るためにあるものです。気まぐれに動くことこそ彼のルールと言ってもいい。本能のままに獲物を狙うハンターなんです」

ハンターと言うよりも、狡猾なキツネというところか。そう内心で訂正したが、口にはしなかった。

「いいアドバイスを戴きました。実は、私も同じ感触を抱いています。彼はずっと親しげに我々に接していました。だが、それは、ここまでへりくだっているのだから、感謝してアカマを差し出せと言われているように思えました」

いい感覚だと思った。追い詰められ精神的には相当参ってはいても、古屋の目はまだ曇ってはいないようだ。

「そうですか、そこまでお感じならば、いらぬことを申しました」

「とんでもない。鷲津さんのお話を伺うまでは漠然としていた違和感が、はっきりしましたよ。では、おやすみなさい」

複雑な想いで電話を切った鷲津は、テラスのベンチに腰を下ろした。

二日前から、レマン湖の東岸にあるモントルー郊外の知人の別荘に滞在している。約一万五〇〇〇年前の氷河期の後、ローヌ地方の氷河に削られて出現したという淡水湖は、五八二平方キロある面積の五分の二がフランス、残りはスイスに属していた。

総延長約二〇〇キロの湖畔には、国際都市ジュネーブやIOCの本部があるローザンヌ、さらにヨーロッパ最大のジャズの祭典が開かれるモントルー、ミネラルウォーターで知られるエヴィアンなど、個性豊かな都市が散在している。鷲津らが滞在しているのは、モントルー市街地から車で南へ一時間ほど離れた閑静な小都市で、ションを城をシンボルとするリゾート地だった。

レマン湖を眺めつつ、鷲津は奥日光の中禅寺湖を思い出した。規模は中禅寺湖の五〇倍もあるのだが、三日月を東西に寝かせたような形、何より森に囲まれた湖の空気が彼の地を彷彿《ほうふつ》させる。そういえば、随分あの場所に行っていない。中禅寺湖や戦場ヶ原で神鷲《いぬわし》を探し求めていた頃の想いをすっかり忘れていることに気づいた。

大阪船場という喧噪の街で生まれ育った彼にとって、森や湖は縁遠いものだった。旅行好きの父ではあったが、賑やかな場所を好んだため、静かな場所に連れて行ってもらった記憶もない。粋がってジャズ・ピアニストを目指していた時代も同様だった。

中禅寺湖や戦場ヶ原を初めて訪れたとき、そこに〝故郷〟を感じた。熾烈な買収劇が続くと、彼は忙しい時間を縫って〝故郷〟へと足を運んだものだ。あの場所に立っている時だけが、至福とも言えた。

「そんなに浮足立ってどうするんだ、古屋さん」

ここに来た目的の一つは〝史上最大の作戦〟のために英気を養うためだった。だが、彼に縋る男の嘆きのせいで、そういう気分は吹き飛んでしまった。

賀が仕掛けたTOBについては、サムと前島《まえじま》から詳細な報告を受けていた。インターネットで、双方の記者会見の模様も見ていた。

確かに賀の提案は不可解だ。わずか七%足らずでTOBを仕掛けた意図が見えなかった。しかも目的は経営権奪取ではなく、友好的パートナーシップだという。TOBは、宣言した株数を限られた期限内に取得できなければ、期間中に集めた株の全てを元の株主に返さなければならない。そのため戦略として、まず三分の一を目指してTOBを行い、株の取得に成功した上で、再度過半数を狙うというのはあり得る。

だが、そんなやり方自体が、派手好きな賀一華らしくない。

買収目的が友好的なパートナーシップの締結というのが、ナンセンスなわけではない。TOBというのは消耗戦だ。可能な限り敵対的買収ではなく、友好的なやり方で進める方が成功の確率は高い。しかし、赤間周平が非業の死を遂げた二日後というタイミングでTOBを提案しておいて、友好的だと言っても誰も信じてはくれないだろう。

何もかもが支離滅裂で矛盾だらけだった。掻き回すだけが目的なのかと思えるほどだった。

考えを巡らせながらレマン湖を眺めていた時、ある考えが閃いた。その瞬間、バラバラのピースが一つになった気がした。

「もしかして、そういうことか」

「何がそういうことか、なの」

リンがテラスに入ってきて、鷲津に軽く口づけした。彼女を抱擁すると、自分の考えをぶつけてみた。

「賀の不可解な行動について、ずっと悩んでいたんだ。奴がＣＩＣの〝あて馬〟だったとしても矛盾だらけだろ。もしかすると矛盾こそが、奴の目的なのかも知れないと思ってね」

「カオスこそ奴には相応《ふさわ》しいからね」

マカオでの不愉快な気分を思い出したようにリンは顔をしかめて、鷲津の隣に腰を下ろした。

「あいつがやろうとしていることは、我々を混乱に引きずり込むことじゃないかと思うんだ」

「そんなことをして、なんの得になるの」

リンはスニーカーの紐をほどきながら訊ねた。

「昨日のヨハンの話を思い出したんだ」

モントルーにいるのは、美麗の治療のためだ。だが、もう一つ目的があった。ローザンヌに住むヨハン・ストラヴィンスキーに会うことだった。ヨハンは世界最大級のヘッジファンドの総帥だ。いずれ仕掛けるアカマ自動車攻略のために、ヨハンにも資金的支援を求めるつもりだった。

美麗がモントルーにある心療院で一日がかりの精密検査を受けている間、彼とリンはローザンヌに向かい、ヨハンと昼食を共にした。

ヨハンの身長は一五〇センチ足らずだが、IQは二〇〇近い天才だった。彼の凄さは知能指数だけではなく、金融情報の速さと正確さにある。それは、彼の支援を受けているエリートが世界中にいる賜物だった。鷲津はニューヨーク時代に知りあい、なぜかウマがあった。「無茶と無理こそ人生だと思っている野獣同士が本能的に結びついている」というのがリンの分析だったが、その通りかもしれないと鷲津も感じている。

もうすぐ六〇歳に届こうかという年齢だが、ヨハンはいつ見ても少年のような肌艶で、瞳を輝かせて親友を迎えてくれた。山頂に建つ古城を山ごと買い取ったというヨハンの豪邸で昼食を共にしながら、彼から賀一華について面白い噂話を聞いた。

――最近、スイスやドイツの金融機関の間で、賀一華に注意するようにというおふれが出ているそうなんだ。

あの男なら、さもありなんと思ってさほど重要視せずに聞いていたが、ヨハンが愉快そうに続きを話すと、鷲津は食事の手を止めた。

——借金まみれで、首が回らないって言うんだよ。

——ウチで調べた限りでは、資産だけでも一〇億ドルはくだらないそうよ。

リンの指摘に、ヨハンはさらに笑顔を大きくした。

——僕もそう聞いていた。何しろ、ローレライゆかりの古城を買い取って移築し、マカオでホテルにしようとしているぐらいだからね。ところが、何人もの銀行幹部が、賀は資金ショートして、もはや彼にカネを貸すような酔狂者はヨーロッパにはいないって言うんだよ。

昨日までの世界一の金持ちが、今日はホームレスになっている。派手な投資をする男には、時々そういうケースがあった。

——もう一つ面白いのが、外貨投資が目に余ると、中国政府からもかなり厳しい追及を受けているという話だよ。

共産党幹部と香港の銀行筋の情報だと聞いて、相変わらずのヨハンの情報網に感心した。そして先ほどの古屋の話とヨハンの情報が、一本の線で繋がったのだ。

「賀は借金まみれで、中国政府からも追及され始めている。ヨハンは、そう言ってたろ」

「だから、自棄になってアカマに傍若無人を働いたって言うの」

「そうだ」

ふくらはぎを揉んでいたリンが、その手を止めて眉を上げた。

「意味が分からないんだけど」

「最初からアカマなんて買うつもりはない。だが、M&Aの常識をことごとく覆すような矛盾だらけの戦略を打って、アカマを混乱に陥れ消耗させる。奴の役割はそれだけかも知れない」

「迷惑な話ね」

リンがベンチから立ち上がって、鷲津の正面に立った。

「ひとつ、思い出したことがあるわ」

そう言いながら座り直すと、鷲津の膝に脚を乗せた。すらりとした脚を鷲津が揉み始めると、リンはおどけて一礼した後、話し始めた。

「マカオにいたあの目つきの悪い男、確かジョン・リーって言ったかしら」

かつてはアメリカの軍産ファンド、プラザ・グループでマネージング・ディレクター（MD）を務めていた男だった。

「彼がどうした」

「私、あいつが嫌いでね。ちょっと調べてみたの。そしたら、プラザを辞めた後、中国政府系の金融シンクタンクに籍を置いていたことが分かった」

そんな男が、賀の部下にいるのは解せなかった。

「くだんの金融シンクタンクはね、発展的解消をしてスタッフの大半はCICのメンバーになった」

思わぬ情報だった。鷲津は脚を揉む手を止めた。

「じゃあ、あいつは、賀の部下じゃなかったのか」

「ぼんくらなジョン君はCICに入れてもらえなくて、賀に拾ってもらったのかぐらいに思ってたんだけどね」

「違うな。奴は屈指の強敵だった。あいつは賀の部下ではなく、CICから派遣された監視役だったんじゃないか」

上海の暴れん坊と呼ばれ、世界中の企業を買収し、中国の若者の間では憧れの存在だと言われていた男すら操るCICという組織に、今更ながら戦慄を感じざるを得なかった。

鷲津はリンのふくらはぎを軽く叩いてマッサージを終えると、湖畔に目をやった。

美麗がアヒルと戯れていた。素人目には、彼女の顔に少し感情が戻ってきたように見える。

「悪いが俺は、一足先にここから離れるよ」

「相変わらず落ち着きのない男ね」

彼女の声に、とがめるような気配はなかった。

「昔っからせっかちだからな」

「どこに行くわけ。いきなりアカマに乗り込んで、僕を白馬の騎士にしてくださいって叫ぶとか」

リンも立ち上がり、鷲津を後ろから抱きしめると、耳たぶを噛んだ。

「さっき、古屋さんからの電話で、既にそう言ったさ」

「でも、今動けば、後ろから撃たれておしまいね」

リンの言うとおりだ。ＣＩＣより先に動けば、必ず負ける。

「急に北京ダックが食いたくなった」

「あんなパリパリの脂っこい皮の、どこがおいしいの」

「見解の相違だな。リンはもう少しここにいて、彼女をケアしてくれるか」

「そうね。まだ私の出番じゃないし、ヨハンともう少し話を詰めたいしね。じゃあ、今晩はたっぷり頑張ってね」

彼女はそう言って鷲津を挑発した。

「美麗に見られるぞ」

「その方が刺激的でしょ」

鷲津は苦笑しながら、リンと共にコテージへと戻った。

6

二〇〇八年六月一四日　兵庫・高砂

「コモンレールシステムを理解するためには、まずディーゼルエンジンとは何かを知ってもらう方がいい」

芝野は藤村《ふじむら》家の二人の息子と共に、播磨灘《はりまなだ》に面した鍛造メーカー、針間《はりま》技巧を訪れていた。藤村が遺したノートを預かっていた朝人《あさと》が、コモンレールについて詳しい人物を見つけ、休日に無理を言って時間を作ってもらったのだ。

鍛造とは金属に圧力を加える技術で、金属内部にある微細な隙間を潰し、強度を高める金属加工を言う。日本では、日本刀や火縄銃の銃身の製造技法の一つとして古くから盛んだったが、その技術が現代で進化したとも言える。最近では、自動車エンジンのピストンやカムシャフトなど高温高圧で激しい動きをする部位にも使われていると、ここに来るまでの道中に朝人が教えてくれた。

針間技巧は、その分野のトップメーカーだった。そしてマジテックは以前から、鍛造工作機械の改良品や金型を納品していた。休日にわざわざ時間を割いてくれたのも、そのよしみと思われた。

社長の伏見《ふしみ》忠則《ただのり》は芝野と同世代で鍛造一筋にやってきた風格を感じさせる。芝野らは皆スーツ姿だったが、伏見はポロシャツにチノパンというラフな姿で出迎え、挨拶もそこそこにスクリーンが用意された会議室に三人を案内した。日差しの強い蒸し暑い午後だった。部屋に暗幕が引かれていたために冷房がよく効いていて、芝野は人心地がついた。

全員が席に着くと、伏見は技術者らしく前置きなしに本題に入った。カーマニアの望はまだしも、クルマの仕組みについてからっきし知識のない芝野は、エンジンのイロハから説明してもらえることに素直に感謝した。

部屋の電気が消されると、スクリーンに画像が浮かび上った。

「基本中の基本を言えば、ガソリンも軽油も、元は石油です。原油を加熱すると、成分ごとに沸点が異なるために分離します」

ガソリンは約三〇～二〇〇度、軽油は約二〇〇～三五〇度が沸点と言われている。

「ガソリンの方が揮発性が高く、常温でも引火しやすいが、軽油の場合はそうでもありません。ただ、軽油は高温高圧時に自然発火しやすいという特徴があります」

ガソリンと軽油の対比図がスクリーンに映し出された。メモをとろうとした芝野を見て、伏見がファイルを配った。

「同じものをまとめてあります。また、ＤＶＤにもデータを焼いておきました」

「助かります。まるで素人なもので」

芝野はファイルの中からスクリーンの図と同じプリントを探しながら、礼を言った。

「エンジンの仕組みは、単純に言うと、シリンダーという筒の中で燃料と空気を混ぜた混合気を燃焼させ、その際に出る熱エネルギーでシリンダー内のピストンが動き、クルマが駆動するというものです」

スクリーンに、ガソリンエンジンのアニメーションが現れた。シリンダー内でガソリンを含んだ混合気が、圧縮・着火・燃焼した後に運動エネルギーとなる様子が、分かりやすく説明されていた。

普段、何気なく乗っている自動車の基本ですら理解するのが一苦労な芝野には、順を追ったアニメーションでの説明はありがたかった。一方、望は隣で夢中になって聞いている。

「ガソリンエンジンのポイントは、点火プラグにあります。片やディーゼルエンジンは、高温高圧によって自然発火を起こすため、点火プラグの必要がありません」

ガソリン車とディーゼル車のもう一つの大きな違いは、混合気の圧縮率の違いだ。ガソリンエンジンの場合は、混合気は一〇分の一程度まで圧縮されるが、ディーゼルエンジンの場合は、およそ二〇分の一まで圧縮する。気体温度は圧縮によって上昇し、ディーゼルエンジンのシリンダー内は六〇〇度にまで上昇する。そこで軽油は自然発火し、シリンダー内で勢いよくピストンが運動を始めるのだ。

ただ、燃料の性質を最大限に生かすために、両者のエンジンでは、混合気を作るタイミングが違う。ガソリンエンジンではシリンダーの外で混合気が作られるのだが、ディーゼルエンジンでは、軽油が中途半端な圧力で自然発火するのを防ぐため、先に空気だけを吸入して圧縮し、最大の圧縮率になった瞬間に軽油を噴射する仕組みになっている。

「東京都知事が、煤《すす》を詰めたペットボトルを手にして、『ディーゼルエンジンは空気を汚している。けしからん』とディーゼル車を糾弾したことがあるのを覚えていますか」

「確か一九九〇年代の終わり頃でしたよね。ディーゼル車は、汚い、うるさい、臭いと言われて、東京都では以来、規制値を満たさないディーゼル車が走れなくなった」

〝ディーゼル車NO作戦〟と名付けられた政策のうねりは、その後全国に広がった。当時の想い出にはロクなものはなかったが、都知事のパフォーマンスは妙に芝野の記憶に残っている。

「あの指摘のせいで、ディーゼルエンジンは地球温暖化対策の敵だというレッテルを貼られてしまいました」

芝野自身も、ディーゼル車に対しては同じようなイメージを持っている。だが、伏見は、そうではないと言いたげだった。

「ディーゼル車の排気ガスの問題は、実は二酸化炭素だけじゃありません。光化学スモッグの原因になると言われる窒素酸化物、そして、都知事が空気を汚していると非難した煤です。煤は、ＰＭや粒子状物質と呼ばれています。ディーゼルエンジンの問題は、窒素酸化物とＰＭです。二酸化炭素の排出量は、旧来のものでもガソリン車より少なかったんです」

スクリーンのイラストが、問題となる二つの物質についてわかりやすく解説していた。

「まず窒素酸化物は、高温で爆発的な燃焼を起こすと発生しやすいのですが、ディーゼルエンジンの燃焼は、もっとも窒素酸化物が発生しやすい燃焼でした。一方のPMは軽油の燃えかすです。シリンダー内で全ての軽油を燃焼し尽くせば、さほど排出されないのですが、ディーゼルの場合、シリンダー内で混合気を作るために、どうしてもムラができてしまう。そのため燃え残りが出てしまいます」

ディーゼルトラックの排気口が黒煙を吐き出すことがあるが、これも燃焼ムラが原因なのだ。また、アイドリングの際に、ディーゼル車独特の高いエンジン音がするのも、同様だった。

「ディーゼル車の課題は、混合気をいかにムラなく燃焼させられるかにありました。その切り札が、コモンレールシステムなんです」

用意してあった缶コーヒーを配りながら、伏見は淡々と本題に入った。画面に細いパイプのようなものが映し出された。パイプからは下向きに四つの接続口が伸びている。

「これがコモンレールです。日本語では蓄圧室と呼ばれています。やや意訳ですが、このレールの先にインジェクターという軽油噴射ノズルが付き、そこにＥＣＵという電子制御装置が接続されるとコモンレールシステムになるわけです」

芝野は噴射ノズルを食い入るように見つめた。藤村が〝夢のクリーンディーゼルエンジン開発〟と書き遺したノートに、同じイラストが描かれてあったのを思い出した。

「このシステムが、シリンダー内で起きる軽油と空気の混合気のムラを解消する高圧多段噴射を実現しました。軽油を高圧で噴射することで、燃料がより微粒化できるようになったんです。つまり空気と混ざりやすくなり、ＰＭの発生がグッと抑えられたんです」

スクリーンには、従来のディーゼルエンジンとコモンレールシステムのクリーンディーゼルエンジンとの対比図が、映し出されていた。明らかにコモンレールシステムの方が、シリンダー内の燃え方が均一かつシャープであるように芝野には思えた。

望も身を乗り出し、両者を見比べてうなり声を上げていた。

「多段噴射というのは、一万分の数秒単位で、噴射時間を調整する能力のことです。これによって、常にシリンダー内の最適燃焼をマネジメントできるようになり、窒素酸化物とＰＭを軽減できるわけです」

芝野には、一万分の数秒という感覚も、多段噴射も全く想像できなかった。ただ、涙ぐましい努力によって、一〇年前に比べ八五％も有害物質の排出量を減らしたという技術力に感心するばかりだった。同時に、そんな超高度な技術に、果たしてマジテックが対応できるのかと不安になった。

「ECUの主な役目はなんです」

家電の先端機器を研究する朝人らしい質問が飛び出した。

「コモンレールシステムがデリケートかつ瞬時に反応するための〝司令塔〟ですね」

「自動車は走る先端科学という人がいますが、まさにその通りですね。全ての部品からボディのフォルムまで、世界の最高の技術が集積されている気がします」

少年のように目を輝かせた朝人を見て、芝野はつい〝いつか、マジテックでこんな姿を見せてくれればいいのだが〟と思ってしまった。

「さて、そこでお訊ねの藤村さんのノートですが」

ようやく伏見の話は、本題に入った。

「まあ、私のような鍛造屋が言うのは、はなはだおこがましいんですが、この図面のレベルでは、開発に参画するのは厳しいでしょうね」

勢い込んでいた望が、たちまち落胆してうなだれた。それでも彼は気丈に訊ねた。

「コモンレールシステムには、まだまだ開発の余地があるそうやないですか。いずれクリーンディーゼル・ハイブリッドも開発されるとか。僕らの素人考えでは、ウチは以前、プリンターのインジェクター開発を手がけたことがあるんですけど、それを応用するのは無理ですか」

伏見は缶コーヒーのプルタブを引くと、眉間に皺を寄せながら答えた。

「ウチはある会社に頼まれて、このインジェクターの外枠やコモンレールを作っているんです。あれらは皆、鍛造品ですから。ただ、我々が分かるのは外枠だけですから、知り合いに訊ねてみました。その誰もが、プリンターとコモンレールのインジェクターでは、比較にならないと言ってます。さきほど朝人君が言ったように、自動車は今や最先端のハイテク機器がふんだんに使われています。町工場が太刀打ちできるレベルにはありません」

まるで死刑宣告だった。望はがっくりと肩を落とし、朝人は唇を噛んでいた。芝野の不安が的中した。それでも望の夢のために、少しでも可能性を探りたかった。

伏見は缶コーヒーを一口飲むと、「甘いな」と言って顔をしかめたまま続けた。

「この世界は、常に変化しています。ご存じでしょうが、今、日本の自動車メーカーは、クリーンディーゼルエンジン搭載車の開発に躍起になっています。ヨーロッパでは、フランスの七割を筆頭に、クリーンディーゼルエンジン搭載車が軒並み自動車市場を席巻しているためです。日本やアメリカ市場はハイブリッド人気が続いていますが、将来、振り子がどちらに振れるのか、まだ分からないようです」

そこにマジテックが割り込めるような僅かな可能性はないものかと、芝野は説明に集中した。

「ところが、日本はクリーンディーゼルエンジン開発に遅れをとっています。世界で最初のコモンレールシステムを開発したのが日本のメーカーだったにもかかわらずです」

クリーンディーゼルエンジンは、ドイツのスペック社と日本のNDS（日本電気装置）の両雄が競っている。だが、現状ではスペック社製が一歩も二歩もリードしていると言われている。

「特にNDSは、親会社であるアカマ自動車から、何がなんでもアカマオリジナルの開発を急げとせっつかれています。また、アカマ・ディーゼルというトラックのディーゼルエンジンを開発している子会社があるのですが、乗用車用のクリーンディーゼルエンジンの開発をアカマは指示したようです」

「じゃあ、僕らにも可能性はあると」

望が食い下がったが、思った以上に冷たい表情で返された。

「ゼロではないというレベルですがね。ＮＤＳもアカマ・ディーゼルも、つきあいのある部品メーカーに様々なオーダーを出して可能性を探っています。もし、彼らの要求を充たすことができれば、部品メーカーには福音ともなるでしょう」

「ポイントは、どこです」

芝野が初めて口を開いた。伏見は即答せずに席を立ち、暗幕を開けた。六月のまぶしい日差しに芝野の目がくらんだ。

「お恥ずかしい話ですが、分からないんですよ。我々鍛造メーカーからすると、各部品の強度ですね。コモンレールシステムの課題の一つは、さらなる高圧化に耐えられる素材の開発です。現在、一八〇〇から二〇〇〇気圧が定番です。これでもまだ完璧じゃない。両社とも、さらに二二〇〇とか二四〇〇を目指しているようでもある。ＥＣＵにもまだ課題はあるでしょう」

伏見は、朝人を見た。朝人も頷きはしたが、妙案があるという顔ではない。やはり藤村と望の夢は、夢で終わってしまうのだろうか。

「一番の課題といえるのは、インジェクターですね。一万分の数秒だけ軽油を噴射するというのは、大変な技術です。さらに精密度が高くなると、摩擦対策も大変です。

現状だと製造中の不良率が、他の製品に比べるとまだ高いようですね」

「コモンレールシステムを作っている工場を見学するのは、可能でしょうか？」

芝野は、とにかく実物をこの目で見たいと思った。

「無理ではないと思います。私もNDSなら紹介ぐらいはできます。でも、見た程度では分からないと思いますよ」

そりゃあそうだろう。よほどの知識がなければ、ハイテクエンジンシステムの工場を見学するくらいで、ビジネスチャンスは見つけられない。それでも現場を見ることで、何かが閃くかもしれなかった。

「ざっとこんなところですが、何か質問は？」

三人で顔を見合わせた。望らも何を訊ねていいのかが分からないという顔で、首を横に振っていた。夕食でも一緒にどうかと誘われたのだが、伏見の心遣いに感謝しつつ固辞した。

「こんな田舎まで来てもらったのに、お役に立てず申し訳ありません」

「いえ、こちらこそ貴重なお休みを潰してしまって」

芝野は心から申し訳ないと思った。

「とんでもない。生前の藤村さんには本当にお世話になりました。彼の力なくしては、この工場はなかったと言っても過言ではありません。それだけに、なんとかお役に立ちたいんですが……」

藤村を思い出したのか、それまで淡々と説明していた伏見の顔が少しだけ曇った。

「本当は、土日も昼夜も関係なく、工場は動かしたいんです。でも、ご覧の通り、ラインは全て止まっています」

ラインを見下ろす位置にある廊下を歩く伏見は、芝野が想像する以上に辛そうだった。

「でも、御社はインジェクターの製造をNDSから請け負っているんでしょ」

「一部ですよ。自動車業界も厳しいですからね。中国の台頭も加わって、我々もこれから先、どうやって会社をやっていくか、試練の時です」

ものづくり大国復活と言いながら、日本のメーカーは、下請け工場に毎月のようにコストダウンを強いる。工場労働者の待遇も過酷さを極めている。かつてのような〝家族主義の日本メーカー〟の面影を残す企業は、もはや皆無だった。

日本経済はバブル崩壊を乗り越えた、と言うアナリストもいる。政府も景気が良いと言い続けている。だが、現実にそれを実感している経営者や労働者がどれぐらいいるだろうか。人々を犠牲にし続けた末に、企業だけが独り元気で生き残る。

芝野は静まりかえった休日の工場を見下ろしながら、このところ忘れていた日本のありように対する憤りを蘇らせた。

「そうだ、望君。忘れるところだった。また、桶本さんに一度来てもらってください。マジテックで改造してもらった工作機械の調子が、今ひとつなんで」

それまで落胆していた望だったが、仕事の話になるとすぐに気持ちを切り換えたようだ。

「分かりました。すぐ手配します。ちなみにモノはなんですか」

「急を要するのはスピンドルなんだが、できたら全部見て欲しい。二日ぐらい泊まり込むつもりで来て欲しいと伝えてもらえますか」

すかさず手帳とペンを取り出すと、望はメモをしていた。営業マンとして回り始めて二ヵ月。ようやくスーツ姿も板に付いてきた。

その時、芝野の携帯電話が鳴った。彼は発信相手の名を見て驚き、三人に断って電話に出た。

「もしもし、芝野です。ご無沙汰しております、加地さん」

「いやあ、どうも。こちらこそすっかりご無沙汰してしまって、すみません。お元気ですか」

以前と変わらぬ張りのあるバリトンの声を聞いて、芝野は沈んでいた心が少し救われた気がした。

7

山口・赤間

入念にウォーミングアップをしてから、大内はその場で、体をほぐすように軽くジャンプを繰り返した。ふくらはぎと膝の状態や腰の具合を一つ一つチェックした後、両手を大きく回して深呼吸をした。そして、腕時計のストップウォッチをセットして、ゆっくりとジョギングを始めた。本当は、のんきにジョギングなどしている場合ではない。だが、どうも閉塞感で苛立ちが消えなかったため、久しぶりの休日だったのにもかかわらず、出社してジョギングウェアに身を包んだのだ。ただ走るだけなら、自宅の周囲を走ればいい。わざわざ車で三〇分もかけて社にやって来たのは、一番走り慣れたコースに立つことで、おのれを取り戻したかったからだ。

社員の健康管理と持久力増強、さらには各部署の連帯感を高めるために、駅伝が重要な社内行事になっていた。毎年体育の日に、各事業部ごとの駅伝大会を開催し、上位入賞した二チームは年明けの全社大会に出場する。その全社大会の優勝賞品が、グアム旅行というのも名物だった。そのため、四月一日の定期異動が終わるなり、各部署ごとに毎週一度長距離走の日が設けられ、トレーニングと選手選考が行われるのが慣例だった。

高校時代は野球部に所属していた大内だが、高三の夏の大会で肩を痛めたために野球は断念した。そして入社一年目で配属先の代表になって駅伝を走り、全社大会でも区間賞を記録した。アカマ自動車は実業団チームも保有しており、大内は全社大会後、監督に請われてその一員となった。すぐに頭角を現し、実業団駅伝で三連覇を果たした時のエースランナーだった。他に一万メートルなどのトラック競技やフルマラソンにもアカマ代表として出場したこともあるのだが、なぜか好成績を残せるのは駅伝に限られていた。たすきを受けた瞬間に、仲間全員の思いを感じるために、実力以上の力が湧き出るからではないかと、大内は自己分析している。実際、アンカーを任されたレースでは、何度も区間新記録をマークした。

古屋は冗談交じりに「人間アカマ３０００」などと揶揄したが、的を射ていると自分でも思う。社長室長の激務を何とかこなせているのも、駅伝と同じ〝たすき〟の重みを感じているからだと思う。

だが、社長室長になって以来、走る時間が圧倒的に減ったことだけは寂しかった。以前なら、三キロほど離れた工場でミーティングがあれば、走って出席したものだったが、社長室長が汗臭い格好で会議に出るのは困るという周囲の忠告に、しぶしぶ従っていた。

アカマ自動車の本社には、専用のランニングコースがあった。一周五キロの外周コースは沿道に木立が植えられ、変化に富んだ起伏もある格好のコースだ。休みの日には、駅伝選手だけではなく、秋の対抗戦に備えて多くの社員が汗を流していた。

この日は梅雨の晴れ間だったこともあって、大勢のランナーが姿を見せていた。サングラスにキャップを目深に被った大内は、走り始めると周囲のランナーも気にならなくなった。

最近は走っている時に音楽を聴く者が多かったが、大内にとって走ることは自分自身と対話する神聖な時間だった。彼は呼吸と、両足が地面を蹴る音に神経を集中すると、徐々にスピードを上げていった。最初は、体の状態を確かめるように走っていたのだが、一〇分もするうちに自分のペースを思い出していた。

周囲の景色を見やる余裕も生まれてきた。沿道の木々は、梅雨の晴れ間に覗いた日射しを浴びて眩しかった。木立の向こうに見える本社屋や工場も深い緑に溶け込んでいた。規則正しい呼吸で走りながら、会社まで走りに来て良かったと思った。

我を忘れているとは思っていない。それでも、次から次に起きる不測の事態に、振り回されているのは間違いない。彼だけでは手に負えない大問題ばかりで、周囲に頼らざるを得ないことに忸怩《じくじ》たる思いもあった。中でも、古屋を守り切れていないという自責の念が日々募った。

大変な週じゃった。

賀一華からの提案を受けて五日。社内の混乱は収まるどころか、一層激しさを増しつつある。だが、それなりの準備期間があったため、アカマは万全の態勢で賀の攻撃を迎え撃った。

普段は控えめな態度を貫いている古屋が積極的にマスコミの取材に応じ、アカマ自動車のビジョンを語りながら「現状では、賀代表が言う友好的パートナーシップの意味がまったく理解できない」という困惑の態度を見せた。

賀の提案を日本と中国の闘いにすり替えて、世論を煽ることも検討された。だが、「友好的に交渉を進めたいという相手を門前払いするのと同じになり、得策とは言えない」という加地のアドバイスにより、それを諦めた。賀と百華集団を「会社をおもちゃのようにしか思っていない道楽息子」と誹謗するのも、同様の理由から控えた。

その代わりに、アカマの実績をPRし、今までの精進があったからこそ世界に冠たる自動車産業大国ニッポンが生まれたと強調した。買収提案を予想して制作したコーポレートイメージ用のCMを商品コマーシャルと差し替えて、時間帯を選ばず大量に流した。〝アカマの栄光とプライド、それはニッポンの誇り〟というキャッチコピーと、アカマの成長と日本の経済成長をオーバーラップさせた映像を織り込んだ扇情的なCMだった。

「中国の投資家がアカマにTOBを仕掛けたということは、日本国にとって大事件だというイメージを徹底的に世論に浸透させるんです」という加地の提案を受けてのキャンペーンは、絶大な効果を発揮した。

アカマの防衛産業認定を渋った経産省も、「アカマは、ものづくり大国ニッポンのシンボル。株主にもその自覚を求めたい」と援護射撃に出た。また、首相も定例会見で「私もアカマファンだが、アカマは日本人としての誇りだ」という異例のコメントを発表した。

それでも、百華集団の株式買い取りは着実に積み上がっているようだった。国を挙げてのアカマ擁護にもかかわらず、賀の攻撃を許した原因は、社内の足並みが今ひとつ揃わなかったことだ。何よりアカマ・アメリカの損失隠しの事実が世間の不信感を呼んだ。赤間太一郎の大きな経営ミスで、アカマのアキレス腱が露呈したと、マスコミは名ざしで指摘した。社内に不協和音が生まれ、一枚岩と呼ばれたアカマ社内が、浮き足立っていた。

コースは長い登り坂に差しかかっていた。大内は気合を入れるために呼吸を整えた。

この難局を乗り切る方法は、一つしかない。すなわち、あのびったれを切ることっちゃ。

赤間太一郎という血の繋がりを絶ったとしても、赤間惣一朗《そういちろう》から始まるアカマ自動車のDNAは生き続ける。会社は人によって生き残っていくのだ。血ではない。

「じれったいっちゃ、なんもかんもが、じれったいっちゃ！」

吐き出す息に混じって、ずっとこらえていた憤りがこぼれ落ちた。坂の頂上を前にして胸が苦しくなったが、大内はさらにスピードを上げた。

世間から〝アカマの内蔵助《くらのすけ》〟などと呼ばれているのは知っている。由来を聞いたことはなかったが、古屋と対照的な泥臭さ故の揶揄だと思っていた。だが、それについて保阪が話してくれたことがある。

──アカマに一大事のある時、その真価を発揮する。そういう風格が大内さんにはあるんですよ。私には一生身につかないものです。

酒の席だったので、お追従だと聞き流した。だが、ことここに至って、会社が混乱すればするほど腹が据わる自覚があった。

人は、それぞれに輝く時と場所がある。それを見越して適材適所に人を配する。周平翁にそう言われたのを思い出した。大内が社長室長に任命された時、サプライズ人事だと騒がれた。その時に、周平だけは「古屋は人を見る目がある」と褒め、先の言葉を口にしたのだ。

今、ようやく本領を発揮する時が来たのかもしれない。

「ならば、やるだけっちゃ」

坂を上り詰めたところで、大内は喘《あえ》ぎながら決意を口にした。遊歩道に囲まれた池と、明治の洋館を移築したアカマ自慢の〝迎賓館〟が見渡せた。息が上がって立ち止まってしまった大内は、両膝に手をつきながらしばしその景色に見とれていた。

アカマは誰にも渡さんちゃ。

全身に力が漲《みなぎ》ってきたようで、大内は再び走り始めた。

第三章　電光石火

1

二〇〇八年六月一四日　北京

「なかなかいい度胸ですな。こんな騒ぎの最中に北京にお越しになるとは」

久しぶりに会った王烈《ワンリエ》は、不機嫌な態度を露骨に表した。鷲津はむしろそのことが嬉しくて、白酒《パイジュ》の入ったグラスを彼に向けて高々と掲げた。王烈は苦り切った顔で乾杯に応えた。

一般的に中国で乾杯する時は、グラスを合わせない。相手とともにグラスを掲げ、一気に飲み干すのだ。コーリャンを主原料にした白酒はウォッカを甘くしたような味だが、アルコール度数が高く、燃えるような熱さで喉の奥に落ちていった。

「それでこちらにはどんなご用で、いらしたんです」

鷲津はうまそうに飲むばかりで、王の問いには答えなかった。モントルーから北京に乗り込んで三日、派手に街を動き回って、大勢の金融関係者に会った。王を誘《おび》き出すためだった。

彼らは老舗高級ホテル、北京貴賓楼飯店《グイビンロウファンディエン》の四川料理店「蓉園《ロンユアン》」の個室にいた。マカオではあれほど人目を気にし、鷲津に対して優位に立つことに躍起になっていた王にしては、街のど真ん中での会食というのは芸がなかった。さすがの王も動揺したらしい。鷲津は痛快な気分で、窓の向こうに広がる甍の波を、これみよがしに眺めてみせた。

「鷲津さん、別に故宮が珍しい訳じゃないでしょ」

王は苛立ったように、指先でテーブルを小刻みに叩いた。

「いや、珍しいですよ。実は北京は初めてなんでね」

「ほう、そうでしたか。では、こちらには観光で」

「入管では、そう言って通してもらいましたよ。もっとも、やたらと質問されましたがね」

中国入国に際しては、ブラックリストに載っているかも知れないと覚悟していた。イミグレーションを通過した時は安堵したが、その後ずっと監視されているようにも思う。

「で、本当の目的は、なんです」

「王さんへのご機嫌伺いですよ」

わざとらしく視線を合わせると、王はたじろいだ。

「いつからそんな律儀な人間になったんです」

「昔からですよ。ただ、私の律儀には、自分に対してという言葉がつくんですがね」

まるで機械仕掛けのように王が笑顔になった。

「それなら納得できますな。だが、あなたからご連絡を受けた覚えがないんですが」

「そりゃあ、そうでしょ。連絡してませんから。さすがCICきっての切れ者と呼ばれる王さんだけある。すぐに私のホテルを探し当てて、連絡をくださった」

北京五輪を二ヵ月後に控え、中国は自由と公正を世界に訴えていた。だが、所詮は共産国家、問題児を探り出すためなら国家権力を使ってなんでもやる。

「そういえば、グランド・ハイアットではなく、リッツ・カールトンに泊まっていらっしゃいましたな。何か理由があるんですか」

この男は俺のことを調べ尽くしているはずだ。おそらく最初に寝た女から、お袋の皺の数まで。だから戸惑っているのだ。俺が単独で動いていることや、ハイアット系列のホテルがあれば必ず泊まるはずなのに、そうではなかったことに。

それが狙いだった。連中の徹底したデータ管理を揺さぶる。鷲津は気まぐれで、何をやらかすか分からない。そう思ってもらわないと、これからの動きに支障を来す可能性があった。

「ハイアットにちょっと飽きたんでね。噂のリッツ・カールトンに泊まってみたわけで」

鷲津は突き出しのザーサイを口に放り込むと、空になったグラスを弄んだ。

「いかがですか、リッツの泊まり心地は」

「ところで、まだ詫び言を聞いていませんでしたね」

王は面白くなさそうに黙りこんでしまった。気まずい空気を破るように、料理が運ばれてきた。四川料理の名物の一つ、白身魚と唐辛子を使う水煮魚《スイジュユ》だった。

鷲津は中国語でビールを頼んだ。喉がやけに渇いた。

「冷えたのを頼むぞ」

ぶっきらぼうに王が付け足すと、服務員は頷きもせず部屋を出て行った。鷲津は水煮魚を小皿にたっぷり取ると、王の答えを待つように箸を置いた。

王は互いのグラスに白酒を注いで、乾杯を促した。だが、鷲津は応えなかった。

「詫びが先ですよ、王烈先生」

「はて、私があなたに何か詫びなければならないことがありましたか」

鷲津はただ、薄ら笑いを浮かべるだけだった。

王は、鷲津のようなタイプにあまり会ったことがないのだろう。根負けしたように、持ち続けていたグラスをテーブルの上に置いた。

「あなたは新華社電のニュースにご立腹なんだ」

いきなり王が日本語で応えたので、鷲津はわざと関西弁で返した。

「ご立腹とは、えらい無責任やないか。そんな態度ではあきまへんな」

王は急に困った顔になった。標準語は自在に操れても、関西弁独特の語尾は意味がとりにくいと、以前、日本語が達者な中国人金融マンに言われたことがあった。彼の妻は大阪出身だが、喧嘩になると妻に関西弁でまくし立てられ、彼女の言う意味が肯定なのか否定なのかさえ分からなくなるのだという。

「どないしはりましたん、王はん」

「鷲津さん、申し訳ないんだが、標準語でしゃべってもらえないだろうか」

「今日は標準語をしゃべりたい気分じゃないんで、英語にするよ」と、今度は強いブルックリン訛りで返した。

王は観念したように、テーブルに両手をついた。

「これ以上、私をいじめないでください。新華社通信のニュースについては謝ります」

中国人が自らの非を認めて謝るというのは、一大事だった。自分たちが悪いと分かっていても非は認めないのが、彼らの常識だ。無論、目の前のしたたかな男が本気で詫びているとは、鷲津も思っていなかった。こいつはゲームに乗ったふりをしているに過ぎない。

「目的は、なんだ」

鷲津は謝罪の言葉を無視した。

「目的というと」

王は懲りもせずにお人好しの演技を続けている。

「あんなありもしない話を、新華社に報道させた目的だよ」

「瓢箪から駒が出るのを狙ったんです」

あまりにもバカバカしい答えで話にならなかった。鷲津は黙ったまま水煮魚をゆっくりと味わった。

沈黙が続き、気まずい空気で室内が淀んだ。王が話しかけようとした時、ビールが運ばれてきた。鷲津は大げさに瓶に触れて、よく冷えているのを確かめ頷いた。服務員は無表情に鷲津のグラスにビールを注いだ。王にも注ごうとしたが、王は彼女の手を邪険に払いのけて、部屋から追い出した。

「あんたは女に優しいジェントルマンじゃなかったのか」

「私はあなたのような色男じゃない」

鷲津が黙々とビールを飲んでいると、王は果敢に乾杯を求めてきた。

「では、鷲津先生の健康と前途に乾杯」

「何のための報道だったんだ」

鷲津は挑発的な笑みを浮かべて、乾杯に応じないままグラスを口元に運んだ。

「愚問です。どんなことをしてもあなたを引き入れたかったわけで」

最後まで言わせなかった。

「そうじゃない。俺に対するメッセージが含まれていたのだとすれば、それは決別宣言だろ」

「とんでもない」

王の反論など聞こえていないかのように、鷲津は麻婆豆腐を口に運んだ。山椒の辛みが効いていて、良い肴になりそうだ。

言葉の接《つ》ぎ穂を失い途方に暮れたような王に、容赦なく斬り込んだ。

「なあ、王先生。間抜けなフリをするのは、おやめなさい。あんた程の策士が、あのタイミングであんなニュースを出して、俺が黙っているわけがない」

もう一口麻婆豆腐を食べてから、鷲津は言葉を足した。

「あれは、俺をダシにして、新しくターゲットにした相手を焚きつけるためのもんだ」

口元についた汁をナプキンで拭いながら答えた。

「そうですか。全部お見通しでしたか」

王は胸にぶらさげていたナプキンを外した。

「バレているとは思っていましたけれどね。だが、決別宣言ではないんですよ。私は今でも、あなたにＣＩＣのＣＢＯになって欲しいと思っています。あれは、私のあずかり知らないところで、バカ者がしでかしたフライングです」

食えない男だ。この期に及んでまだ、俺を煙に巻こうとしている。

「口から出任せの天才、王先生に、乾杯！」

王はほっとしたようにグラスを高く掲げた。ビールは冷えていたが、気が抜けていた。

「で、誰に声を掛けたんだ」

王はわざとらしい間を置いてから、喉を鳴らしてビールを飲み干した。彼は涙ぐましいほどに愚か者を演じ続けている。

「我々には時間がなかった。世界に冠たる国家ファンドを立ち上げながら、肝心の舵取りがいない。そんな恥ずかしい状態をいつまでも続けられなかったわけですよ。そこで、ひとまずあなたの代わりを見つける必要があった」

鷲津はタバコをくわえた。そして、話を進めるように身振りで促した。

「結局その相手にも、振られましたよ」

「誰だ」

「それは言えません」

「その名を聞いたら、俺がライバル心をメラメラと燃え上がらせるかもしれんぞ」

煙と一緒に、鷲津は挑発を吐き出した。

「あなたはライバル心で動く人じゃない。私が名前を言わないのは、国家機密だからです」

国家機密が聞いて呆れる。だが、知りたいのは別の話だ。

「なぜ、ジョン・リーを使わない」

王はマッチでタバコに火を点けてから怪訝そうにこちらを見た。

「誰です、そのジョン・リーというのは？」

「部下だった男を知らないなんて言うんなら、それまでだ」

「ああ、プラザ・グループにいた若僧ですな。確かに奴はひと頃、国家系の金融機関におりました。だが、私の部下ではありません」

「今は腹心の部下だろ」

あり得ないと言わんばかりに、王は大きく手を振った。

「彼は独立して、上海で企業買収のコンサルタントをやっていると聞いています。確か今回の賀一華のＦＡも務めているはずですよ」

「彼をＣＢＯに迎えればいい。彼の腕は確かだ」

「見解の相違ですな。我々の行く末を託せる程のタマではない」

王が白酒を立て続けに三杯あおった。

「彼がプラザ・グループにいた頃、あなたと良い勝負をしていたのは知っています。あいつの数少ない自慢話の一つですよ。しかし、あなたが苦戦した相手は、ジョン・

リーではない。プラザ・グループという巨大軍産ファンドであり、総帥である将軍がバックにいたからだ」

王が勝ち誇ったように、また乾杯を求めてきた。

「ジョン・リーが優れた買収者であるのに変わりはない」

「我々が欲しているのはベストの人間です。ナンバー2はいらない。ナンバー1はあなただ」

「それは光栄なことで」

褒められたお礼に、鷲津は胸に手を当てた。

「お追従を言っているわけじゃない。事実を述べているに過ぎない。我が国の気質はお分かりのはずだ。中華人民共和国は、全てにおいてナンバー1になることしか考えておりません。見ていなさい、もうすぐ始まるオリンピックでもアメリカを打ち負かして、金メダル獲得数世界一になります」

「世界一の中国に、乾杯」

鷲津も白酒を飲み干し、王烈の祖国を称えた。王はまるで皇帝のような尊大な態度になって杯を空けた。

「ジョン・リーをCBOにしない話はいいだろう。だが、奴が賀一華のそばにいるのは、あんたの差し金だということは認めて欲しいね」

「あり得ない」

即答が意外だった。またひとくさり、臭い演技をしてみせると思っていたからだ。

それでも鷲津は、揺さぶらずにはいられなかった。

「とぼけなさんな。ジョン・リーと賀一華は、水と油だ。リーが自発的に賀と組むとは考えられない」

「世の中、カネがすべてですよ、鷲津先生。リーはカネに困っていた。賀はリーの経験が喉から手が出るほど欲しかった。だから、水と油が手を組んだ。これは手強いですよ」

「カネに困っているのは、賀じゃないのか」

「ほう、そうなんですか」

この日初めて、王は余裕を見せた。彼は運ばれてきたばかりの乾焼蝦仁《キアンシヤオシアレン》の海老をつまむと、大口を開けて頬張った。

「手が後ろに回りそうだという話もある」

鷲津はヨハンから得た情報の確認を、サムに依頼していた。中国国内での情報だけに手を焼いたようだったが、それでも「噂はある」ことまでは突き止めていた。

「あの男は太子党《タイズダン》だと聞いていたが、今一つ素姓に疑わしいところがある」

口元についたチリソースをナプキンで拭きながら、王は朗らかに答えた。

「この国は、自称太子党、自称元貴族、自称ハーバード出などゴロゴロいます」

「賀もそういう一人だという意味か」

「そうは言っていません。ただ、お国の方が思うほど、太子党などありがたいもんじゃない。第一、党幹部の子弟は掃いて捨てるほどいるんです」

そりゃそうだろう。だが鷲津は初めて会った時から、賀一華の目が気になっていた。あの目はキツネの目だ。絹の産着を着たり、金の桶で沐浴して大切に育てられたとはとても思えない卑しさがあった。

「賀のアカマ自動車への買収提案をどう思う」

「自殺行為。そうとしか思えませんな」

王はさげすむように吐き捨てた。そして、手にしていたナプキンに賀の穢《けが》れが移ったかのように、テーブルに投げた。

「おいおい、冗談はやめようぜ。奴は、全てあんたの指示通りに動いているはずだろ」

「あんな愚かな闘いを指示した覚えはありませんよ」

フィルターまで火が近づいてきたタバコを消して、鷲津は口元を歪めた。

「どういう指示をしたんだ」

突然、王が笑い声を上げた。鷲津は、笑顔の奥にある彼の思惑を見極めようとしていた。

「いや、失礼しました。それにしても鷲津先生は本当に突飛な考えをされる。私が賀一華を操っているなんて」

王の指が小刻みにテーブルを叩き始めた。

「操ろうとして、裏切られたんだろ」

「裏切られるもなにも。あいつは勝手に動いているだけでしょ」

「もう少し上手な負け惜しみが言えないのか」

王の指が止まった。

「奴のやっていることは、一見乱暴で気まぐれに見える。だが、あれは確信犯だ」

「考えすぎですよ、あいつは存在自体がフィクションみたいな男です。考えるより先に動く獣です」

それは俺も同じだ。だから分かるんだよ、王さん。言うだけ無駄だとは思いながら、鷲津は自説をぶった。

「獣と言っても、まっすぐ獲物に飛びかかる野犬じゃない。あいつはずる賢いキツネだ」

「買い被りですな。あれはキツネの皮を被った愛玩犬です」

王にとって賀はそんなにどうでもいい相手なのか。鷲津は口元を歪めた。

「もう一度聞く。賀一華は、あんたの、いや言い換えようか。CICの指示で動いているんだろ」

「違います」

不動の対峙がしばし続いた。鷲津はだしぬけに肩の力を抜くと、王と自分の杯に白酒を注いでから口を開いた。

「じゃあ、そうではない証に、一つ教えてくれ」

鷲津はグラスを手に立ち上がった。正式な中国式乾杯のスタイルだった。王もすかさず応じた。

「なんなりと」

「偉大なる中国とCICに乾杯」

「神の鷲に乾杯」

互いが相手の瞳の奥を覗き込みながら、酒を飲み干した。そしてグラスの底を互いに見せ合った。

「賀一華は、今、アカマ株をいくら持っている」

王は驚いて呟き込んだ。

「お国の諜報機関の情報収集力は、素晴らしい。賀の一挙手一投足までフォローしているはずだ。あいつがあんたの犬ではないというのなら、それを証明してもらおう。あいつが本当に持っているアカマ株はいくらだ」

罠にはめられたという悔しさを、王は隠せないようだ。彼は険しい形相で鷲津を睨み付けていた。肩も震え、今にも絞め殺さんばかりに見える。

だが、鷲津は悠然と構え、着席するともう一本タバコをくわえた。

立ちつくしたまま両拳を握りしめた王は、震えるような声で言葉を振り絞った。

「不確定な情報だが、七億を超えたと聞いている」

二三%余りになる。想像したよりも多かった。

「おたくは？」

さりげなく出した誘い水に、王は乗ってこなかった。

「そのままお返ししましょう。おたくはいくらです」

鷲津は白い歯を見せた。

「まあ、言わぬが花ということにしますか。楽しい食事だった」

鷲津はタバコとライターを手にして立ち上がった。今夜、最初に見せたのと同じ表情の王が、上目使いで口を開いた。

「重ねてお訊ねする。CICのCBOに就いてくれる気はないですか」

「光栄なお話だが、誰かに飼われるのが苦手でね」

「飼うつもりはない。あなたの自由にすればいい」

「おたくの国に自由があるとは知らなかったな。悪いが他を当たってくれ」

しばらく鷲津を睨んでいた王が、不意にあざといほどの笑顔を見せた。

「まだ、担担麵《タンタンミエン》がありますよ」

マカオで会った時と同じ食えない男に戻っていた。

「いや、もう辛いのは十分だ。今は、きつねうどんが食べたい気分だよ」

「ご用意します」

「結構だ。あんたらが作っても『ようなもの』しかできないだろうからね。おやすみ、王先生。またどこかで」

「本気でアカマを買うおつもりのようですね」

王は低く呟くように問うたが、鷲津は黙って肩をすくめた。

「後悔しますよ」

王の目が据わっていた。

「最近ずっと後悔しているから。マカオで、あんたに酒をおごってもらってからずっとね」

「では、ご健闘を」

王が右手を差し出した。

「そちらこそ」

鷲津は握手に応じず、部屋を出た。見送りに来た服務員に嫌みなほどの笑顔を見せて。

2

大阪・北新地

「いやあ、本当にご無沙汰してしまって」

加地は嬉しそうに芝野を迎えた。針間技巧の見学中に連絡を受けた時、加地は「大阪に来ている。急な話だが、よかったら夕食でも」と誘ってきた。

何となく用向きは予想できた。「アカマの防衛にひと肌脱いで欲しい」と言われそうだったが、友情を優先して誘いに応じた。藤村兄弟と食事をするつもりだったが別の機会にと詫びて、大阪駅で別れた。加地が指定してきたのは、北新地の『喜川　有尾』という割烹だった。

既に座敷で待っていた加地に手を差し出されると、懐しさがこみ上げてきて芝野は勢い込んで握り返してしまった。

「加地さんも、お元気そうで」

「私はもうダメですよ。すっかり爺さんになってしまった。芝野さんは若返ったんじゃないですか」

芝野は苦笑せざるを得なかった。

「日々自分の無能さを思い知らされていますよ」

「何をおっしゃる。私なんてすっかり臆病になって、今のポジションを捨てて、新しいことに挑戦しようという気がおきません。芝野さんは凄いですよ」

「いつもながらの後先考えない無茶ですよ。その報いを毎日受けています」

加地の褒め言葉に照れながらも、彼の目や表情が以前よりやつれていることに気づいた。

それからしばらくは、マジテックでの苦労話が話題になった。日本酒を舐めながら、泉州産水茄子のサラダや鮮魚料理を味わっていると、久々に芝野の肩から力が抜けた。もっとも、それがいつまでも続くとは思っていなかった。

案の定、二本目の冷酒を頼んだあたりで、加地が居住いを正した。

「今、アカマをやっています」

「成り行きは気になっています。加地さんのコメントを新聞で拝読して、また大変なものに巻き込まれているなあ、と思っていたんですよ」

加地は豪快に笑い声を上げて、スキンヘッドを撫でた。

「どうも頼まれると断れない質でして」

「しかしながらあなた以外には無理な案件でしょう」

「いや、私では無理ですな」

瞬間、二人の間に沈黙が淀んだ。だが、芝野は自分から話の接ぎ穂を差し出すつもりはなかった。思い詰めたように杯を回していた加地が顔を上げた。

「もともと私は買収者ですから、企業防衛には長けていない。その上、創業者企業というのが苦手でね」

それは誰でもそうだ。創業者一族という存在は、企業価値や時価総額とは全く別の次元で、企業に計り知れない影響力を持っている。その存在に苦労した経験がある芝野には、加地の苦渋がよく分かった。

「そうは言ってもアカマは、それほど酷くない印象がありますが」

「私もそう思っていました。だからこそ、FAをお受けしたんですけどねえ。でも実際は、創業者一族への遠慮が社員の骨の髄にまで浸透しているんですよ」

それが、世界市場でも揺るがない強さを示すアカマの魂の依りどころにもなるのだろう。芝野はいたわるように、旧友に酒を注いだ。

「何より痛かったのは、赤間周平氏の事故死です。おまけに後継者の坊ちゃんがぼんくらときている。しかも、買収提案をしているのは、何を考えているのかさっぱり分からん中国の新人類だ」

加地にしては珍しい弱音だった。無論、その理由を芝野は十分察していたが、同情的な傍観者に徹した。

「賀一華に比べれば、鷲津政彦の方が遥かに闘いやすい」

かつては「けしからん男」と嫌っていたハゲタカを引き合いに出すあたりに、加地の窮状と苦境が感じられる。

「加地さん、そんなに忙しいのに、どうして大阪まで来て私に会ってるんです」

「全てお見通しでしょうから、つまらん小細工は止めましょう。芝野さん、情けない話だが、アカマの団結力は今や空中分解寸前だ。私は改めて、企業にとっての精神的支柱の大きさを痛感している。そこで、あなたのお力を借りたいんだ」

芝野は、一呼吸おくために酒を舐めた。

「私に何ができるというんです。アカマには、古屋貴史《たかし》という素晴らしい精神的支柱がいるじゃないですか」

「だが、彼は、太一郎を後継者に担ごうとする役員連中の攻撃の矢面に立たされているんです。しかも、彼には買収提案に抗わなければならないという責務もある」

アカマには、社長を中心に四奉行と呼ばれる非同族の優秀な副社長陣がいて、どこから攻められても盤石だと聞いていた。その布陣も機能しなくなっているのか。

「アカマの体制なら、古屋さんを守る社員もいるはずだ。今さら私に何をやれと」

「社内の士気高揚のためのアドバイスをお願いできないだろうか。あなたが汗を流しているマジテック再生を、途中でほっぽり出せとは言わない。わずかばかりの時間を割いて、アドバイスだけでももらえないだろうか」

予想通りだったが、芝野はどう答えたものか迷った。

「あんな巨大企業に対して、私にどんなアドバイスができるというんです」

「戦場で闘ってきた勇士の経験ですよ」

誰よりも歴戦の強者であるはずの加地に言われたのが意外で、芝野は思わず彼を見つめてしまった。加地は、それに応えるように続けた。

「アカマの企業防衛は徹底しています。しかし、彼らは一度も攻められたことがない。それが動揺に繋がっています。だが、あなたは企業買収や再生の現場で、一〇年も闘い続けてきた。今、アカマに足りないのは、経験者の生きた言葉です。いや、魂の注入だ」

いかにも加地らしい言い回しだった。芝野は胸が熱くなってしまった。

「どうだろう、芝野さん。ひとまず古屋さんや、社長室長の大内さんに会ってやってくれませんか」

加地はそう言うと、一瞬黙りこんでから卓に手をついて頭を下げた。

「やめてくださいよ、加地さん。あなたに頭を下げられる筋合いはない」

「いや、私自身が情けないんですよ。戦略や数字的な防衛なら、私の経験も生かせる。だが、あなたほどの性根がないんだ」

まるで幕末の志士のようだな、と芝野は微笑ましく思った。それが加地の魅力だ。

まっすぐで嘘のない情熱が、周囲を巻き込んでいく。

「話をするぐらいでいいなら、喜んでお手伝いしますよ」

「ほんとですか！」

加地の声が弾んでいた。

「ありがたい。ぜひ、お願いします！」

加地は両手で芝野の手を摑むと、思いを託すように力を込めてきた。芝野は、若干の後ろめたさを抱きながら頷いた。

この話が、マジテック復活のきっかけにならないかという考えが頭をよぎったからだ。望らの落胆ぶりを見ていただけに、このタイミングでアカマと繋がりが持てるのは、天恵かもしれないと感じたのだ。

3

二〇〇八年六月一六日　北京

百華集団のＴＯＢを敵対的と認定――アカマ特別委員会

北京金融街麗嘉酒店《リッツ・カールトン・ペキン・ファイナンシャル・ストリート》の客室でグーグルニュースを読んでいた鷲津は、その見出しをクリックした。

アカマ自動車の特別委員会は同時に買収防衛策を発動し、百華集団以外の全ての株主に対して、新株予約権の無償割り当てを行うと発表していた。買収防衛策の発動を判断する第三者機関である特別委員会が、百華集団を「非適格者」と判断したため、彼らは予約権行使ができず、その代わり一株当たり、同社のＴＯＢ提示額に一五％のプレミアムを加算した額を支払うとあった。

「デジャブだな」

昨年末のジャパン・ジャーナル社の一件で、鷲津らが被った買収防衛策と酷似していた。記事には、百華集団は防衛策無効の仮処分を東京地裁に即座に申請したとある。

「今度はどうするんだろうな、裁判所は」

鷲津の敗北によって、日本は世界の投資家から「日本は不可解な国。資本主義の常識を裁判所が覆すなんてあり得ない」と批判され、ジャパン・パッシングの風潮が生まれた。事実、それ以降は大がかりな買収提案は、すっかり鳴りを潜めていた。

チャイムが鳴った。時刻は午後六時を回っている。七時から、釣魚台《ディアオユタイ》国賓館のパーティに出席することになっていた。

サムを部屋の中に招き入れると、鷲津は他のニュースもチェックした。同じ自動車関連では、アメリカ最大の自動車メーカーのユニオン・オートが、経営危機にあるプリマス社を買収か、という記事が気になった。

「アカマは、いよいよ本格的な闘いを始めたようだな」

タキシードの蝶ネクタイを結びながら、鷲津は仕入れたばかりのニュースを口にした。サムはガーメントバッグを手にして立っていた。

「なんだ、おまえさんも来る気になったのか」

パーティと名のつくものを好まないサムは静かに首を振った。

「あなた用ですよ。招待主が出席者に着用して欲しいと言ってきたんです」

「ほお、そこまでお気遣いいただけるとは」

バッグを受け取った鷲津は、中身を取りだすと首を傾げた。タキシードだけではなく、ドレスシャツや蝶ネクタイまで入っている。

「あまり上等そうじゃないな」

彼が身につけているギーヴス＆ホークスの仕立てと比べると、はるかに見劣りする。

「これは、なにかの謎かけか」

サムは既にあらためたようで、鷲津が手にしたものを見ようともせず窓際に立ち、表に異状がないかを確認していた。

「意味があるのだと思います。郷に入っては郷に従えをお奨めしますね」

鷲津はムダな抵抗をやめて、着替え始めた。

「一華は、さらに買い足したんだろうか」

「三〇％を超えたという情報はまだありません。一方のアカマは、防衛策の一つとして自社株買いを始めたようです。今朝は六〇〇〇円を超えました。一華サイドは改めて額を設定し直す必要があります」

一華が提示した額は、五八八八円だった。攻撃と同時に守備も固めるという防衛策は、石橋を叩いて渡るアカマ自動車らしかった。ポイズン・ピルについては、裁判所で却下される可能性を考慮しているのだろう。それでも時間稼ぎにはなる。同時に、TOBの提示額よりも高い市場価格が維持できれば、一華サイドに株は集まらないという、非常にシンプルな戦略も忘れていない。

「芝野さんを担ぎ出すという動きもあるようです」

手際よく着替えていた鷲津の手が止まった。

「確か東大阪のちっぽけな会社を、再生しているんじゃあ」

「〝なにわのエジソン〟と呼ばれていた発明家が残したマジテックという会社です」

あの芝野が油にまみれた町工場で汗を流しているというのは、想像しにくかった。アカマの防衛に一肌脱ぐようだという情報の方が、しっくりする。

「やっぱりホワイトカラーの銀行マンに、町工場は無理だったか」

「マジテックから手を引いたわけではないようです。ただ、アイアン・オックスの加地さんに、アドバイスだけでもと泣きつかれたそうで」

ドレスシャツは肌触りが悪く、首元もごわごわしていた。どういうもてなしか知らないが、ありがた迷惑だった。ただ、鷲津の体型に見事にフィットしているのには驚かされた。

「あの人のお人好しは、相変わらず直らんということか」

サムは答えず、スーツのポケットからメモを取り出し、差し出した。中国滞在中は尾行と盗聴を覚悟するよう、サムから釘を刺されていた。重要な話は筆談に限る。

メモには〝上海は、万端〟とだけあった。彼は明日、極秘で上海に向かう。そのための準備と、先方との密会の準備が整ったということだ。鷲津はメモを裏返して、質問を返した。

〝ジョン・リーについての情報は？〟

サムは〝明日〟とだけ走り書きすると、メモを丸めて灰皿に置き火を点けた。

「リンは、予定通り明日の午後の便で、こちらに到着します」

それは盗聴相手に聞かせたい事実だった。

「やっぱり独りなのか」

「ええ、美麗はもう少し治療を続けるそうです」

これは嘘だった。まさかのことを考えて、リンが旅立つ前に密かに美麗を別の場所に移していた。

金融界に身を置きながら、まさか自分がエスピオナージュを演じることになるとは思ってもみなかった。お仕着せのタキシードを着終えると、鷲津は鏡に向かった。

「こういう格好をしていると、気分はジェームズ・ボンドだな」

「馬子にも衣装という言葉通りです」

鏡の中の鷲津を一瞥したサムは、灰皿の灰をトイレに流した。

「では、でかけますか」

タキシードの着心地の悪さを我慢して、鷲津はサムに続いた。

4

釣魚台国賓館は、北京市の西部海淀区《ハイディアンク》にある。一二、三世紀に中国北部を支配した金《きん》王朝第六代皇帝、章宗《しょうそう》が愛した釣り場だったことから、その名が付いたと言われている。その後、清朝の乾隆帝《けんりゅうてい》が皇帝一族の庭園として整備し、一九五九年、新中国建国一〇周年祝典の際に国賓館となった。四二万平方メートルもの広大な敷地の中央に、章宗が釣りを楽しんだ五万平方メートルの湖があり、畔《ほとり》に沿うように一七のゲストハウスが点在している。

二〇〇〇年頃までは国賓館として使われていたが、現在はその一部が一般客も利用できる宿泊施設になっている。とはいえ国家が誇る迎賓館としては最上級のものであることには変わりない。

鷲津はこの夜、中国政財界のパーティに招待されていた。鷲津を乗せた黒塗りの公用車は立派な金瓦の華門を潜り、巨大なゲストハウスの車寄せで停まった。車から降りるなり、カメラとフラッシュの放列に晒された。

「ミスター鷲津、アカマを買わないんですか」

英語で飛んできた質問に、鷲津は笑顔で応えるだけで無言を通した。

ボーイに案内された大広間には、一〇〇人近い来賓が集まっていた。先進国の政財界の中国通ばかりと聞かされていたが、鷲津の知った顔はなかった。いつの間にか両脇に深紅のチャイナドレスを着た美女が寄り添っていた。その一方が、耳元に唇を寄せて英語で囁いた。

「パーティが始まったら私がご案内しますので、それまではここで待機してください。後ほど主催者が何人かのゲストをご紹介しますので、一緒にカメラに収まってください。アリバイになります」

ますますスパイごっこが加速している気がして、鷲津は楽しそうに頷いた。

「ミスター鷲津、ようこそいらっしゃいました」

満面に笑みをたたえた肥満体の中国人が、早速、握手を求めてきた。

「国際財界連盟の理事をしています、孔峰《コンフェン》と申します」

鷲津は手回しの良さに感心しながら、礼儀正しく応じた。

「お招きにあずかり感謝しております。私のような者が釣魚台に呼ばれるなんて夢のようです」

「アジアを代表する金融王をお招きできて、私も鼻が高いですよ」

孔峰が腹を揺らすように笑った。その様子を見ていたカメラマンが「一枚お願いします」とカメラを構えると、鷲津の両脇に侍《はべ》っていた女性たちが退いた。

しばらくは孔に紹介されるままに複数の理事、欧米の現地法人トップと握手を交し、その度に記念撮影が行われた。これから先、何が起こるのか警戒しつつ、鷲津は笑顔を絶やさずにいた。

開会の辞が告げられ、数人の要人が挨拶した後、出席者達が歓談を始めた。やたらと女が多かった。やがて、金色のタキシードを着た芸人風の男がステージに立った。同時に入口の大扉が閉められ、パーティには似合わないダークスーツを着た長身の男たちが人の出入りをさえぎるように、扉の前に立ちはだかった。

「いよいよお待ちかねのショータイムがやってきました。まさに夢心地のハッピータイムです。心ゆくまでお楽しみください」

ステージ上の男は、後ろに控えていたボーイからシャンパンのマグナムボトルを受け取り、マイクに向かった。

「じゃあ、いきますよ」

ボトルを勢いよく振りながら、カウントダウンを始めた。同様に何人もがボトルをシェイクしだした。

「三、二、一っ！」

ポンという威勢のいい音が部屋中で立て続けに鳴らされたかと思うと、ボーイやコンパニオンが、噴き出すシャンパンをゲストに向けて浴びせかけた。至る所から歓声とも悲鳴ともつかない声が上がった。

避ける間もなく、鷲津もシャンパンの洗礼を全身に浴びた。着ていたものを脱ぎ捨てあられもない姿になった美女たちが、びしょ濡れの鷲津に飛びつき、その瞬間シャッターを切られた。一人を払いのけても、次々に美女に襲われ、そのたびにストロボが光った。さすがに苛立ってきた時に、誰かに肘を摑まれた。

「こちらです」

先ほどの赤いチャイナドレスの女が、鷲津を大広間の片隅にある衝立の後ろに連れて行った。別室に連れ込まれた鷲津は、抵抗する暇もなく着ているものを脱がされた。

「これが、中国式歓待っていうのかい」

鷲津が声をかけても、女は微笑みを浮かべるだけだった。もう一人の女性が彼の前に屈んで、体をまさぐり始めた。鷲津は苦笑いをして女の肩を摑むと、中国語で言った。

「悪いがそういうサービスは、遠慮しておくよ」

女性は問うようにもう一人の女を見たが、彼女に部屋を出るように命じられると素直に従った。

「あなたが女に弱いというのは、誤った情報だったのかしら」

今までより砕けた口調になった女の挑発に、鷲津は吹き出した。

「いや、弱いよ。ただ、言い寄ってくる女には、手を出さない主義だ」

「シャワーを浴びてください。着替えをご用意しておきます」

下着一枚という情けない格好で、浴室に案内された。鷲津は素直に従い、べとべとになった頭や顔をシャワーで洗い流しながら、パーティ用の衣服が提供された理由に気づいた。どうせシャンパンで台無しになるなら、高級品である必要がないということとだ。分かりやすいほどの合理主義に感心すると共に、以前サムから聞いた中国情報部の「ハニー・トラップ」を思い出した。

――宴会場で、いきなりシャンパンをまき散らし、客の服を洗濯するからと言って脱がすそうです。その後、裸の美女たちが客を囲み、乱交パーティが始まる。何が起きたか分からないままに、客はすっかり気を緩めて女たちと快楽を貪る。その模様は全てビデオと写真に撮られ、近い将来の交渉カードに使われるわけです。

そんなバカな罠にはまる奴がいるのかと思っていたが、今日の調子だと宴会場は大乱交の真っ最中に違いない。

旅先という気の緩み、さらに業界内の会という安心感、そして目を奪うほどの美女たち――。中国には時々、すこぶるつきの美女がいる。欧米人なみの長い手足を持ち、顔立ちは愛くるしく東洋的な美しさを誇っている。東西の美が絶妙にミックスされた彼女らは、息を呑むほど美しい。そんな女性が迫ってくるのだ。なにもせずに部屋を出るには、相当な自制心が必要だった。その上、外部に繋がる各扉には、男たちが立ちはだかっている。

鷲津はシャワーを止めると、大きく息を吐いて外に出た。

女が言ったとおり、一揃えが用意されていた。今度はどれも肌触りも着心地も良かった。銀座大賀《たいが》靴工房に特注でつくらせたストレートチップを履いてきたのだが、そっくり同じ物の新品が誂《あつら》えられていた。

「俺は、丸裸か」

自らを励ますように口笛を吹いて、鷲津は着替えを済ました。測ったように、先ほどの美女がスーツに着替えて出迎えた。

「スーツ姿もお似合いだね」

女は鷲津の言葉を無視して、先に立った。エレベーターがあり、地下二階まで降りると、さらに長い廊下を五分ほど歩かされた。その間、彼女は一度も振り向かなかったし、一言も話しかけてこなかった。

今回の北京訪問の目的は、中国政府や金融関係者がアカマ買収劇をどう見ているかの情報収集だ。とりわけ政府がＣＩＣに対してどの程度関与しているのかを知りたかった。そのため、美麗と共に香港国際空港からスイスに向かう時に、大至急情報提供者を探して欲しいと、サムに指示していた。しかし、新たにサムライ・キャピタルで採用した孫剛建《スンガンジアン》までもが――彼の前職は、新華社通信の金融担当記者だったが――、情報源を探しあぐねていた。

そんな矢先、モントルーにいた鷲津に、中国財政部の喬慶《チヤオチン》という人物から連絡が入った。鷲津にその気があるならば、北京でお会いしたいと言ってよこしたのだ。

相手はＣＩＣを直接担当する外国投資部門のトップであることが、サムと孫の調査で分かった。次官クラスという思いもよらぬ大物だった。ただ当人から、具体的な日程は示されなかった。

——北京に五日ほど滞在するつもりでいらして下さい。そして、できるだけ大勢の人に会ってほしい。滞在中に、こちらから連絡を入れます。

奇妙な申し入れだったが、喬の誘いに乗ることにした。そして呼び出されたのが、この〝豪勢な〟パーティだった。

再びエレベーターに乗せられ一階に辿り着くと、屋外に連れ出された。周囲の風景を見る限りは、まだ釣魚台の敷地内のようだ。案内されたのは石造りの洋館だった。

玄関ロビーには、白スーツを着た白髪頭の男が待っていた。

「ようこそ、おいでくださいました」

淀みのない日本語で、挨拶された。案内されながら鷲津は、これから起こるべき事態を覚悟した。

「鷲津先生が、お見えになりました」

招き入れられた部屋には、赤い絨毯の中央に白いクロスがかけられたテーブルがあり、そこで待っていた二人の男が立ち上がった。

対照的な二人だった。一方は、黒縁眼鏡をかけたいかにも官僚という雰囲気の人物だった。もう一方は長身の怒り肩で、一〇歳ほど若いようだ。骨張った顔に必死に笑みを浮かべているように見える。

「ようこそいらっしゃいました、喬慶です」

小柄な方がいかにも親しげに歩み寄ってきて、両手で鷲津の手を握りしめた。冷たい感触が残った。

「初めまして、鷲津政彦です。この度は、なかなか経験できない歓待を受けて、感激しております」

鷲津の屈託ない嫌みに、喬は軽やかな笑い声をあげた。

「これは失礼しました。お会いする口実を探すのに苦労しましてね。肝を潰されるだろうが、鷲津先生ならお楽しみいただけるかと」

「確かに、しっかり楽しませてもらいました。それと同時に、お国の怖さを垣間見た気分です」

笑顔を絶やさない喬を見つめながら、こいつは侮れない男だと気持ちを引き締めた。隙あらば、笑顔のままで寝首ぐらい掻く男だろう。

喬は鷲津を上座に誘うと、もう一人の男を紹介した。

「国家発展改革委員会で、海外投資の責任者を務めている李懐《リファイ》と言います。まだ若いですがアメリカ帰りで、一時期、ゴールドバーグ・コールズのM&A部門に籍を置いたこともあります」

中国では海外留学経験者を海亀派と呼ぶが、たいていは見るからに洗練されたお坊ちゃんという印象を与える。だが、喬の隣でかしこまっている李は、ラグビーか重量挙げ選手のように武骨だった。

「初めまして。伝説の買収者である鷲津先生にお会いできて、感激しております」

体に似合わない甲高い声がうわずっていた。

「まずは、お近づきの印に乾杯を」

社交辞令を交しながら互いの腹を探り合っていると、ウェイターが紹興酒を手に近づいてきた。

「シャンパンでもと思ったのですが、もう充分ご堪能いただけたと思いますので、とっておきの紹興酒をご用意しました」

小さな青磁の杯に注がれた紹興酒は、普段見るものより濃い飴色だった。

「高級紹興酒の甕元《かめもと》が国賓向けに納めている特別品で、〝魯迅の酒〟と呼ばれています」

共産革命以前の作家で唯一発禁を免れた魯迅は、紹興酒発祥の地である紹興市の生まれだという。

「鷲津先生との出会いに」

「お二人の歓待に」

王烈のように仰々しく立ち上がらずに杯を空けた彼らに、鷲津は好感を持った。日本で出回っているものとは異なり、よく熟成された赤ワインのような味がする。

腹具合を聞かれたが、鷲津は先に話がしたいと返した。喬も望むところだったようで、すぐさま人払いした。

「仄聞《そくぶん》するところでは、我々にお話があるとか」

話があるのは相手の方だと思ったが、言ったところで話が先に進むとは思えず、否定はしなかった。

「中国の海外投資を司っている方に、ぜひお会いして伺いたい事がありましてね」

出来の良い弟子に対するように、喬は何度か大きく頷いて先を促した。

鷲津はタバコをくわえると、喬の背後に飾られた水墨画を眺めた。深山幽谷の上空で牙を剝く龍を見て、いかにも中国人が描きそうな作品だと感じた。

「まず、賀一華の行動を、貴国はどう感じておられるのかお聞きしたい」

「若者は時に身の程を忘れ、傍若無人になります」

冗談はよしてくれという思いを込めて、鷲津は煙を吐き出した。喬は悪びれもせずに言葉を足した。

「いや失礼、それはニュアンスが違いますな、正直申し上げると、厄介だと思っております」

「厄介というのも意外だな」

喬は手にしていた杯を一息にあおってから答えた。

「資本主義社会においては、資金があれば投資するというのはルールの範囲内でしょう。しかし、我々はそれ以上に、礼節や和諧を尊ぶ」

確かに、国家主席はそんなスローガンを掲げている。しかし、〝上に政策あれば、下に対策あり〟というお国柄で、そんなきれい事は通用しない。

「鷲津先生、我々は真剣ですよ。ユノカルの買収失敗やＩＢＭパソコン部門の買収の際に、世界から浴びせられた批判を厳しく受け止めています。ただカネがあるから、あるいは国家に必要だからという理由だけで、他国に土足で踏み込んで企業を買収するというのでは、相手国に余りにも失礼です」

笑い出したくなるのをこらえて、鷲津は首を振った。

「では、彼を止めたらどうですか」

「それはできません」

早くも矛盾したことを言い始めた国務院の経済幹部に向かって敢えて怒りを示すために、鷲津はタバコを灰皿に押しつけた。

「なぜ、できないんです」

「賀の行動は我が国のメディアでも流れてしまった。彼を天晴れと見る旧弊な人民も多い」

空になった杯を弄んでいた喬が、杯を脇に置いて鷲津を見た。

「お恥ずかしい話だが、貴国を憎悪の対象として、我々は人民を教育し続けてきた。それからすれば、『小日本《シャオリーベン》』の宝を奪おうとする賀一華の行動は、賞賛されるべきものなんです」

鷲津が懸念しているのもそれだった。一華の買収は、彼一人の問題ではない。賀を叩きつぶせば、中国がどういう反応をするのか知っておきたかった。

喬は、鷲津の腹を見透かしているように続けた。

「だが、そういう時代は終わりました。我々は敵ではなく同志として、他の先進国に立ち向かうべきだと考えています。それでも賀の暴走を、表立って止めることはできません」

表立ってという言葉が、ヒントのように思えた。

「私が賀と闘うことになっても、妨害しないという意味ですか」

「それこそが私たちの一番望むところです。日本という国家ではなく、鷲津政彦という個人に、彼を止めて欲しい」

中国人は滅多に腹を割らないと言われている。だが今の言葉は、喬の本音だと感じた。鷲津は喬の眼鏡の奥にあるものを探った。それまで冷酷に感じられた瞳に、熱い想いがたぎっているようにも見えた。

「虫のいいお申し出だ」

「しかし、貴国にとっても良策ではないですか。一華のTOBが成功しようものなら、日本政府は表に出ざるを得ない。そんなことになれば、中日の感情的な外交紛争に発展する可能性もある。それは避けたいのです」

だから、こんなお偉い方が、とっておきの紹興酒を振る舞ってくれるわけだ。両手を頭の後ろに回して天を仰いだ鷲津は、偽悪者に徹することにした。

「喬さん、あなたは私を勘違いしている。私は日本政府の代表としてここにいるわけじゃない。そもそも日中友好に興味がない」

挑発に反応したのは、若い李だった。終始無表情で沈黙を守っていた彼は、明らかに気色ばんでいる。

「おっしゃるとおり。あなたには別の哲学がある。いや、正義と言ってもいい。ですから、それを貫いてくだされば結構です」

「それとは、なんのことです？」

喬はしばらく無言のまま、鷲津の後方を見つめていた。背後にはどんな絵が掛かっていたか思い出そうとしているうちに、喬が答えた。

「買いたい物を買う、という哲学です」

言ってくれる。手に力がこもったが、ここは我慢のしどころだ。

「もちろん、そうさせてもらいますよ。そこまでおっしゃるなら、ぜひ守って欲しいことがある」

喬が小首を傾げた。

「私のビジネスに、政治を持ち込まないで欲しい」

「我々がいつ、あなたのビジネスに政治を持ち込んだんです」

「ＣＩＣの王烈の行動は、商売ではなく諜報活動に近い。私はずっと監視されている」

喬はつまらない話を聞いたとでも言いたげに、頰を膨らませた。相手がなにも答える気がないと分かった鷲津は、さらに詰めた。

「喬先生、私とこんな所で密会する理由はなんです。単に一華の行動を阻止して欲しいというお願いだけとは思えない。なにを企んでいるんです」

喬は再び後方に視線をやったあとで、いかにも楽しそうに杯をあおった。

中国人は交渉が上手い。間の取り方に隙がなかった。日本人や欧米人とのやりとりには慣れていたが、相手が中国人となると、掌の上でいいように転がされている気がしてならなかった。

「なにも企んでいませんよ。私たちは、中日両国が永続的な友好的経済圏になるのを望んでいるだけです」

「主導権は自分たちが握るという条件が、必要なんじゃないんですか」

「ケース・バイ・ケースです。なにがなんでも日本を凌駕しようとは考えていません。共存共栄こそが、理想です」

覇権国家が共存共栄とは笑わせてくれると思った時、手元のコースターに描かれた北京五輪のスローガンが鷲津の目に止まった。

〝ワン・ワールド、ワン・ドリーム〟

「世界は一つですか」

「違います。中日は一つなのです。そのための布石を私とあなたで打たなければならない」

鷲津は再び水墨画に目をやった。深山の彼方から口を開けて挑んでくる龍の足には珠が握られていた。世界の命運を握る覇権の珠だ。

言い方は違うが、ＣＩＣ同様こいつらも、一緒にビジネスをやろうと言っているに過ぎないんじゃないのか。その疑惑が拭えなかった。

鷲津の迷いを見透かしたように、喬が止めを刺した。

「賀を駆逐してください。そのための協力は惜しみません」

5

上海

百度《バイドウ》のインターネットニュースに、百華集団がＴＯＢの買い取り価格を六六六六円に吊り上げたと流れた。

慶齢は、もう一度日本のオフィスに電話を入れた。午後八時過ぎ。一時間の時差がある東京は九時過ぎだが、相手はすぐに出た。

「シャーリー、ごめんなさい、まだ捕まらないの。どうやら、社でも行方が摑めていないようなのよ」

サムライ・キャピタルと面識のある日本事務所の先輩弁護士に、鷲津政彦と面会するための橋渡しを頼んでいたのだが、一向に埒があかない。彼女は親切ではあったが、熱心ではなかった。やっぱり自分が東京に行くべきだ、と慶齢は反射的に思った。

「どなたと連絡を取られているんですか」

相手の気分を損ねないように気遣いながら、慶齢は訊ねた。オフィスの外は雨だった。

「会長秘書と、ヴァイス・プレジデントの前島という女性。鷲津氏の右腕と言われている人よ」

手元にあるノートに、「要調査！　マエジマ」とメモした。

「感触としてはどうです？　相談ぐらいは乗ってもらえそうでしょうか」

「厳しいと思うな。鷲津氏は、誰かに依頼されて動いたことはない。彼独自の哲学でしか動かないの。それに業界では、彼もアカマ買収に動き出すのではという観測もある。そうすると、シャーリーのクライアントはライバルになるんじゃないかな」

食事の誘いを無下に断って怒らせたにもかかわらず、鍾論は彼女を解任しなかった。反町に担当を代えてくれと懇願しても、まともに取り合ってくれない。相変らず鍾は毎日何度も電話をしてくるし、二日に一度は、わざわざオフィスまでやって来る。そして今日も、まもなく来るはずだ。

「他では、だめなのかな」

鍾のことを思い出して気鬱になっていた慶齢は、相手の提案で我に返った。

「他というと？」

「以前、鷲津氏がいたホライズン・キャピタルは、どう？」

「評判があまり良くないと聞きました」

デスクの上に積み上げた資料から、日本でめぼしいFAを調査したリストを取り出した。

「前任者はそうね。でも、新任のナオミ・トミナガは、やり手らしいわよ」

慶齢は受話器を肩で押さえると、急いでナオミの項目を探した。顔写真と簡単な経歴だけが書かれていた。ホライズン・キャピタルのナオミ・トミナガは、二〇〇七年一月に、社長就任。慶齢が驚いたのは、トミナガの若さだった。

「どんなやり手なんですか?」

「彼女は今、日本の老舗旅館や一流ホテルを買い漁っている。相当なタフネゴシエーションで、売る気のない相手からも奪い取っているわ。早くも鷲津氏の再来と言われ始めている」

忙しくメモしながら、彼女が抱いた印象を口にした。

「奪い取るということは、かなり乱暴なビジネスをしているということでしょうか」

「そうね、いかにもハゲタカって感じのビジネスね」

〝女ハゲタカ〟と資料に書き足すと、慶齢は冷めたジャスミンティを啜った。

「買収を依頼したら、引き受けてくれそうですか」

「ホテル買収は、リゾルテ・ドゥ・ビーナスという世界的なリゾートグループの依頼で動いているようね。そういう意味では、依頼仕事もやる。それに最近では、不動産買収に飽きたと周囲に漏らしているようだから、アカマの関連企業買収となると飛びつくかも」

野心家であることは間違いなさそうだった。ならば鍾とも相性がいいだろう。しかし、賀一華があれだけ派手に動いている中で、同じ中国人がアカマの系列会社に買収提案すれば、激しい軋轢が生まれるはずだった。過激な野心家タイプがＦＡにつくのは、得策ではない気がした。

「彼女の情報を送りましょうか」

いらないとも言えず慶齢が感謝の意を示すと、相手は至ってドライな口調で客を待たせているのでと言って、一方的に電話を切った。

慶齢はしばらく女ハゲタカの顔写真を眺めていたが、やがてため息をつきながら立ち上がった。どうも頭の中で、整理ができない。とにかく不可解なことばかりが起きている。あれほどの無礼を働いたのに、鍾は却って親しげに接してくる。しばらく考え込んでいたが、部屋に鳴り響いた電話で断ち切られた。

「シャーリー、ちょっと来てくれないかな」

反町だった。すぐに上着を羽織って、彼の部屋に向かった。部屋には、見慣れない中国人の客がいた。

「こちらは、我々の訴訟を担当してくださっている上海公明法律事務所の胡《フー》先生だ」

外資系法律事務所に所属している弁護士は、中国の法廷には立てない。そのため、訴訟になると中国人の法律事務所に委ねられる。胡もそういう律師なのだろうと、慶齢は見て取った。

「覚えているかね。昨年末、君に手伝ってもらったトランザクションを」

「確か、アカマ自動車のデザイン盗用案件だったかと」

「そうだ。あの時の訴訟相手が颯爽汽車だった」

言われるまで忘れていた。慶齢は失念したことを恥ずかしいと思う一方で、なぜその件で呼ばれたのかが分からなかった。

「何か問題が起きているんでしょうか」

「いや、そうじゃない。我々は上海赤間汽車に、デザイン盗用の訴訟を起こすべきだとアドバイズした。それに従って、上海赤間は訴訟を起こしたんだ。そして、上海律師界の重鎮である胡先生に原告代理人をお願いした」

胡が小さく会釈した。

「その判決が出たんだ」

初めて関わった仕事の結果をわざわざ伝えようとしてくれている。反町は部下思いだと慶齢は思った。

「わざわざ教えてくださってありがとうございます。それで、結論は？」

「上海赤間が敗訴したよ」

「そんな……。あれは、明らかに颯爽汽車側に法律的な瑕疵《かし》がありました」

研修生として颯爽汽車から派遣されていた技師が、新型車ポップの設計図を違法コピーして持ち帰った事実が判明していたはずだ。

「違法コピーした元社員は既に解雇されていて行方が分からず、その上、データを使った証拠が見つからなかったとして、裁判所は上海赤間の訴えを退けたんだ」

反町は辛そうに説明した。全身から力が抜けてしまい、慶齢はソファに座り込んでしまった。

「素晴らしい資料をまとめてくれたのに、残念な事をしました」

胡は悔しそうに膝の上の手を握りしめた。

「おまけに颯爽汽車が名誉毀損で訴えてきたんだ」

「名誉毀損ってどういうことですか」

「ありもしない疑いをかけられ営業妨害されたというのが、理由だ」

にわかには信じられなかった。

「場合によっては、君を証人として出廷させるとも」

「なぜ、私が」

「今回の告訴が我々の調査に起因し、調査方法に問題があったというのが言い分だ」

大抵のことでは腹を立てない慶齢だったが、さすがに気色ばんだ。

「そういうお話なら、いつでも出廷します」

「その必要はない。上海赤間が示談に応じた。ただ、そういう事実があったことを伝えておこうと思ってね」

不意にニューヨークで言われた言葉を思い出した。

――あの国には法律がない。いや、そもそも法の精神すらない。そんな国で、何をやるんだね。

案件の手伝いにも積極的に参加し、コネやカネではないフェアな交渉を推進する努力を、慶齢は惜しまなかった。思うようにならないこともあったが、法の公正さを熱心に説くうちに企業や社会のリーダー達の中には、法の重要性に耳を傾ける人も出てきた。だが、反町の話を聞くうち彼女は虚しさを抱いてしまった。

「それが中国ってことですか」

諦めが滲んだ言葉を口にしていた。

「そうでもあり、そうでもない。ただ、この国に染みついた習慣を拭うことの難しさを知って欲しかったんだ。それを知った先に、希望があると僕は思っているから」

希望という言葉が意外だった。反町はもっとドライに、ビジネスに徹しているように思っていたからだ。

これ以上、颯爽汽車の仕事はできないと言おうと思っていた彼女は、自らの未熟さを感じた。ニューヨークで、あんな偉そうな啖呵を切ったのだ。これしきで、へこたれるわけにはいかない。

廊下に出るなり、携帯電話が鳴った。鍾だった。

「はい、ハニー、元気かい」

私はあなたのハニーじゃありませんし、全然元気じゃありません、と突き放せたらどれだけ楽かと思いながら、慶齢は気持ちを切り替えた。

「こんばんは、鍾さん。何だかとてもご機嫌ですね」

「そりゃそうさ。朗報を摑んだんだ」

脳天気に声を弾ませている鍾に呆れながら、朗報の内容を質した。

「あの男が上海にやってくるそうなんだ」

「あの男って、どなたです？」

「我らの鷲津政彦だよ」

今日は驚くことばかりだ。鍾ははしゃぎながら続けた。

「まだ情報収集の最中なんで、そちらにお邪魔するのは二時間ぐらい遅れそうだ」

6

北京

「政彦の手で賀一華を排除しろとは、虫が良すぎませんか」

車の中で、サムが珍しく憤っていた。喬と別れ、徹底的に盗聴チェックされたアカマ・マーヴェルに乗り込むなり、鷲津は密談の経緯を全てぶちまけた。

釣魚台国賓館の周辺は、夜の闇に沈んでいた。うまそうにタバコをくゆらせていた鷲津は、窓のわずかな隙間から流れ出て夜風に溶ける煙を見ていた。

「それだけ焦っているということだろうな」

「焦っているですって」

薄暗い車内でもはっきりとわかるほど、サムが驚いていた。

「俺たちには分からないが、恐らく一華が裏切り行為を働いているんだろう。それを止める術がない」

「ありますよ。彼らは、一華を逮捕するのに充分な証拠を握っているはずです」

ヨハン・ストラヴィンスキーから聞いた情報を、孫も裏付けていた。

「だが今、逮捕するわけにはいかないだろう。アカマを買えたとしたら、彼は国民的英雄だ。それを政府が邪魔するなんてありえないよ」

「しかし、ここであなたが動くのは得策じゃない」

その通りだった。鷲津が白馬の騎士《ホワイトナイト》として対抗ＴＯＢを仕掛ければ、賀を打ち負かすのはたやすい。

「動きはせんよ。俺たちは息を潜めて出番を待つだけさ。しかも、この期に及んで芝野さんまで巻き込んだんだろ。ますますやりやすい」

気がかりなのは、こちらが打つ手を喬は読んでいるだろうということだ。にもかかわらず奴はわざわざ鷲津の前に顔を晒して、「全面的に協力するから一華を排除してくれ」と頭を下げた。その上、賀の弱点まで教えてくれた。それが暴露されれば、賀は惨敗するばかりか、国際金融社会そのものから放逐されるはずだった。そんな重要なネタを、喬のような百戦錬磨の策士がタダで提供するはずがない。この国の真意は、どこにあるのか。まだ序盤戦だというのに、誰が敵で誰が味方なのか、鷲津にすら分からなくなっていた。

「これからの予定はどうなっている」

サムは頷くと、読書灯を点し手帳を開いた。

「羽室《はむろ》キャスターと堂本《どうもと》さんは、今晩遅くに上海に到着します。取材班は既に三日前から先乗りして、賀一華の関係者を精力的に取材しているようです」

賀一華を排除するために、鷲津はPTBプライムテレビ放送の人気キャスター羽室冴子《さえこ》を巻き込んだ。もともと彼女の方から、賀一華の印象を聞かせて欲しいという依頼があった。最初は気が乗らなかったが、賀が不可解な動きをしたのを見て、応諾の意思を冴子に伝えた。さらに、フリーのジャーナリストとして活動を再開した堂本征《まさ》人《と》にも協力を求めた。

車は、北京市内に五本ある環状道路の一つである三環路を北に走っていた。釣魚台国賓館からリッツ・カールトン北京までは、車なら五分とかからない。だが、じっくり密談をするために、環状道路をドライブするようサムが運転手に指示したのだ。繁華街から外れた三環西路はオレンジ色の灯りが道路をぼんやりと照らすだけで、ひっそりと寝静まっていた。

「どこで入れ替わるんだ」

「ホテルの駐車場を考えています」

鷲津はその足で北京空港に向かい、北京の友人が手配したプライベートジェットに乗り込むことになっていた。

北京には彼の影武者が残る。顔は似ていなかったが、体型と声が鷲津似の売れない劇団員を、サムが日本から連れてきたのだ。中国国家安全部といえどもよほどのことがない限り、遠巻きの監視しかできない。明日深夜に戻るまでの間ぐらいはごまかせるだろう。

「何時間ぐらいかかる?」

「北京、上海間は、約一〇〇〇キロです。二時間余りでしょうか」

時計の針は、午後一〇時に差し掛かろうとしていた。あと二ヵ月足らずで始まるオリンピックの準備に街中が追われていた。至る所で突貫工事が行われ、ただでさえ厚いスモッグに覆われている北京の街の視界をさらに悪くしていた。

「五輪が終われば中国経済はクラッシュするという輩が多いが、サムはどう思う?」

昼夜を問わずに続けられる工事現場を眺めながら、鷲津は訊ねた。

「この国はもっとしたたかでしょうね。取り繕うような先進国の真似事は、鼻につきますが、そういう浮かれ気分の裏側で、着実に力を蓄えているのは間違いありません」

「同感だ。俺たちは、いつまでこの国を無視し続けていられるんだろうな」

中国は日欧米と上手に距離を取りながら、新興のロシアやインド、さらにはアフリカなどとの関係も強化している。彼らは国として生き残るためのありとあらゆる術を駆使しているように、鷲津には思える。

だが、日本は隣国でありながら、常にこの国を蔑《ないがし》ろにし続けている。おまけに、アメリカ一辺倒をやめるべきだと薄々気づきながら、一向に変わる様子はない。そのツケをいつか払わされるだろう。

「私のような似非《えせ》アメリカ人が言うことではないですが、アメリカの時代は終焉に向かっています。この際、日本は中国ともっとまっすぐに向き合うべきですね」

サムの言葉は重かった。今晩の会談で、鷲津自身にそんな真摯な気持ちがあったろうか。中国人が俺たちを嵌めようとしている。そんな猜疑心ばかりが先に立ち、彼らの本音を汲み取る努力を怠っていたのではないだろうか。

別れ際の喬の言葉が、鷲津の胸に蘇った。

――外交は国家間レベルで動くものだけではありません。それよりも利害が一致した者同士が腹を割って友好や信頼が生まれてこそ、真の意味での外交が始まるのです。私は、あなたがそのキーマンだと思っている。

聞いた直後は、中国的なお追従と片付けていた。だが、鷲津の手を力強く握りしめていた喬の手には、強い気持ちが込められていたように思える。

「なあ、俺は日中友好の鍵を握る男だと言われたんだけれど、どう思う」

サムは無言だった。

分からなくもない。サムは答えたくないのだと鷲津は思った。

夜の闇の中ですら濁った空気を感じる北京の街を走り抜けながら、鷲津は信念だけで生きることの難しさを改めて嚙みしめていた。

7

二〇〇八年六月一七日　山口・赤間

大内は怒りのあまり、その文書をデスクに投げつけた。

「もう記事になったのか」

デスクの前で直立不動の姿勢をとっていた保阪は、目の下の隈を揉んでから答えた。

「ネットに出たばかりだそうですが、裏付けが取れれば一斉に記事にするでしょうね」

記事は、事故発生時に赤間周平が運転していたアカマ３０００のブレーキシステムに重大な欠陥があったと報じていた。発信者は、インターネットの独立系ニュースサイトだった。

「裏付けなんて取れるはずがないっちゃ」

怒りに耐えられなくなった大内は立ち上がるなり、うろうろと歩き回った。

「しかし、ブレーキシステムについて精査するよう、山口県警が科捜研に依頼したのは事実です」

こんな時ですら感情を交えずに報告する保阪が憎らしかった。

「そもそも周平さんは、他の車の事故に巻き込まれたんだろ。今さら周平さんの車を調べる必要はないはずだ」

「山口県警に垂れ込みがあったそうです。アカマ３０００は、過去にもブレーキシステムでトラブルを起こしていると。周平翁の車もその可能性があると」

「誰がそんなことを」

無意識の内に保阪に詰め寄っていた大内は、部下から冷たい眼差しを向けられて一歩下がった。

「賀のグループではないでしょうか」
「卑劣っちゃ、ありえん！」
目の前に賀一華がいたら八つ裂きにしたいほどだ。大内はタバコを取り上げると、
腹立たしげにくわえた。保阪はファイルを大内のデスクに置くと、淡々と話した。
「過去二〇年にわたってアカマ3000が起こした事故のデータです。ブレーキに問
題があった事故は数件だけです。しかも、概《おおむ》ねは整備不良によるものです」
大内はタバコをくわえたまま火をつけずに、恨めしそうにデータを見た。
「言いがかりであることは証明されたわけだな」
「それはなんとも。警察の調べが終わるまでは、軽はずみな発言はできません。た
だ、室長、一つだけ明らかに言えることがあります」
「なんだね」
「一華は、なりふり構わず攻め始めたということです」
昨日の東京市場でアカマ自動車株は、六〇〇〇円の大台を一気に超えた。百華集団
は六六六六円に買い取り株価をすかさず吊り上げたが、このままいけば、明後日にも
七〇〇〇円を超えそうだった。
TOBが行われると株価は上昇する。その上、アカマは、ギリギリまで利益を切り

詰める経営方針をあえて緩めて、来期は過去最高益の見込みと発表した。それが、株価をさらに押し上げる一因になっていた。同時に自社株買いもさかんに行い、上昇を後押しした。このまま行けば、百華集団は資金ショートになるだろうというのが、加地らの予想だった。

その上、曾我部会長が精力的に運動して政府やマスコミに働きかけた成果もでてきた。政財界はこぞってアカマを守る方向で足並みを揃えており、マスコミは、連日のように賀一華の過去の投資行動についての記事を掲載し、賀は濫用的買収者であると糾弾していた。

勝負が徐々に見えてきた。経営陣がそう安堵した矢先の記事だった。

「つまり、これからもこんなガセネタによる誹謗中傷が続くと言うんだな」

「我々としては、早めに手を打って賀の引き際を演出してやるのが得策かと」

大内は驚いて、部下を睨んだ。冷徹と評判の男が情けを掛けるのが信じられなかったからだ。

「甘いな。ああいう輩は完膚無きまでに叩きのめす方がいい」

「遺恨を残すのは必ずしも得策ではありません」

「ドライな君にしては珍しいじゃないか」

大内はソファに腰を落ち着けた。保阪も向かい合って座ると、決意を込めた目で大内を見つめた。

「王者の風格をもって締めくくるんです」

がむしゃらに結果を追う大内と、何事にもスタイルや美学を求める保阪は、こんな時ですら勝負の決め方が違う。保阪の意見を冷静に受けとめるために、大内はようやくタバコに火をつけた。

「見せしめという意味では、徹底的に叩きつぶすのもいいでしょう。しかし、エンドユーザーの目を忘れてはなりません。賀に塩を送るぐらいの余裕を見せるべきじゃないでしょうか」

保阪の背後の壁に掛かる額に、大内は、ふと目をやった。自らの戒めのために、故・周平翁からもらった言を飾ってあるのだ。

〝死力を尽くさず、余力を残せ〟

たった今、保阪が言ったのと同じ意味だった。

「具体的にどうやるんだ」

「百華集団が保有する株に二割のプレミアムを付けて買い上げた上で、賀を社外取締役にする」

「なんだと」

反射的に怒りが噴き出した。だが保阪は動じなかった。

「彼の面子《メンツ》を保ってやって、味方に引き込むのは悪くない案です。我々は中国大陸で今後も、様々な試練を体験するでしょう。そういう時に中国で影響力を持つ賀の存在は大きい」

「あんな中傷を吹き込むような男に、そこまでやるのか」

「それでこそ王者の風格じゃないですか」

大内には理解できなかった。呻きながら腕組みをして天井を見上げてしまった。アカマに泥を塗った相手を、社外取締役に迎えるのはあり得ない。

「おまえの言いたいことは分かる。だが、役員連中で異を唱える者が多いだろうな」

「そんな視野の狭いことでは、真の国際企業など夢のまた夢です。今回のTOBでも、相手が中国人というだけで感情的に毛嫌いした役員が大勢いらっしゃいました。そんなことでは世界のアカマの名折れです」

青臭い話だった。だが、保阪の理屈は正しい。アカマは進化すべきだと、大内も思った。彼はタバコを灰皿に押しつけると、立ち上がった。

「分かった、古屋さんに相談してみるよ」

「ありがとうございます」

保阪が頭を下げようとしたのを、大内は止めた。

「頭を下げる事じゃない。おまえに教えられることばかりで、逆に俺の方こそ頭を下げたい気分だ。いずれにしても、今晩は帰るとするか」

午前一時を回っていた。机の周りを片付け始めた大内に、保阪が囁いた。

「一つ気になる噂を耳にしました」

「なんだ」

「太一郎さんの動きです」

「坊ちゃんの？」

「百華集団の人間が接触しているという噂があります」

「接触してどうするつもりだろう」

「一発逆転で、賀一華と太一郎さんが組むかもしれません」

鞄に必要な文書をしまい込みながら、大内は鼻で笑った。

「ありえんよ、そんな話は。あの人の反応を見ただろう。太一郎さんは明らかに中国人に対して偏見を持っている。死んでも奴とは組まんよ。それより、この後の手を考えなくちゃならん」

「太一郎さん一派は、社長の経営責任を突いてくる可能性がある」

保阪は驚かなかった。同じ懸念を抱いていたのだろう。大内は続けた。

「それはなんとしても阻止しなければならない。そのためには、先手を打ちたい」

「先手とは？」

「TOB終結前に、坊ちゃんに、アカマ・アメリカの責任を取らせる」

「しかし、今そんなことをしたら、社内の団結にヒビが入ります。いくら出来が悪くても、太一郎さんは創業者一族の役員です。この時期に彼を排除するというのは、ちょっと」

アカマが進化するためには、断固として解決しなければならない問題だ。この件は改めてじっくり相談しようと考え直し、大内はあえて反論しなかった。

いきなりデスクの電話が鳴った。

「やられました！　毎朝新聞にとんでもないスクープが出ています！」

悲鳴にも近い声を発する広報室長を宥《なだ》めて、記事をファックスするように指示した。受信した記事を受け取りに行った保阪の様子が尋常でなかった。

「やっぱり出たんだな」

「この後というと」

表情を引きつらせた保阪が差し出した記事は、先のアカマ3000のブレーキ問題とは桁違いの大スクープだった。

政府に防衛産業認定ゴリ押しか
アカマ、外資防衛対策に苦肉策
地検特捜部も重大関心

8

上海

なりふり構わぬ防衛策に勇み足。次期株主総会で、防衛産業部門設立を画策。政界工作の疑惑も——。

上海の虹口《ホンコウ》にある上海大廈《ブロードウエイ・マンション・ホテル》最上階のスイートに鷲津はいた。インターネットで毎朝新聞のスクープを読み進めるにつれて、彼の表情は険しくなった。

日本の大衆車メーカーを標榜し、地球環境や世界の平和活動にも貢献してきたのがアカマ自動車だ。可能な限り政治的な発言も活動もせず、財界活動すら現在の曾我部会長が社長の代から参加し始めたぐらいだった。そのアカマが、自社を守るために防衛産業部門を社内に設けるだけではなく、外為法規制の網の内側に入るために政界工作までやっていたとあるのだ。

この記事は、アカマが長年培ってきたブランドイメージを、一気に瓦解させるだけの破壊力がある。良心的と言われる毎朝新聞によるスクープというのも痛かった。

「これは、賀一華の逆転サヨナラホームランになりかねんな」

時刻は午前八時を回っていた。上海より一時間早い東京では、東証の前場が開いたはずだ。鷲津はインターネットでアカマ株の値動きを確認した。予想通り、急落していた。携帯電話を取り出すと、前島を呼び出した。

「ありったけのカネを突っ込んでアカマ株を買い漁れ」

「手配済みです。それにしても、すごい勢いで下がっています」

「他に買っている動きは?」

「あります。というより、大手証券会社は買い一色ですよ。でも、それでも下がっています」

証券会社の背後にいるのは百華集団だろう。アカマが冷静に対応できる状態なら、今ごろ必死で自社株買いを続けているだろうが、社内はそれどころではないほど混乱しているはずだ。

「毎朝の記事のネタ元も調べろ」

「サムさんにお願いしました」

サムなら何らかの情報を摑んでくるだろう。

「アカマの内通者に、役員の動きに目を光らせるよう指示してくれ。古屋さんが社長を辞任でもすれば、とんでもない事態が起きる」

今朝早くに、古屋による談話が既に発表されていた。

「防衛産業部門の設立を検討しているのは事実だが、買収防衛策ではない。防衛事業に乗り出すことが、平和貢献になるという判断からだ。しかし、まだ、最終決定ではない」

広報を通じた回答だったが、古屋の正直さが仇になっている気がした。おそらく取締役会決定すら経ていないであろう事案を、このタイミングで認める必要はない。しかも今は、TOBの真っ最中なのだ。こんなマイナスイメージを追認するのは、通常の判断ではあり得ない。

一方の賀一華は、ここを先途とばかりに攻勢に出た。午前二時という非常識な時間に、マンダリン・オリエンタル東京で緊急記者会見を開き、「アカマファンとしては、とても残念なこと。これ以上アカマブランドを汚さないためにも、現経営陣は退陣すべきだ」と、一席ぶった。

　そのうえ厄介だったのが、太一郎の発言だった。上海でもリアルタイムで放送された朝のＮＨＫニュースが、自宅前でインタビューに応じる太一郎の様子を伝えていた。

「亡き伯父が草葉の陰で泣いている。アカマは、絶対に軍需産業になんてならない。私が身を挺して社長を諫める」

　思わず鷲津は紙クズをテレビ画面にぶつけていた。

　見事な形勢逆転だった。いや、鷲津の嗅覚は、もっと嫌な臭いを嗅ぎ付けていた。もしかして、これは御曹司二人が、裏で手を結んだというサインではないのか。サムや前島の情報では、太一郎は一華を毛嫌いしているという。買収対策会議でも、独り気炎を吐いて一華を攻撃していたらしい。だが、アカマ・アメリカでの不正で追い詰められていた太一郎が、一華の甘言に乗った可能性はあった。

「喬ちゃん、あんたらが隠していたのは、これか。こんな史上最悪のバカぼんコンビの誕生を察知していたのか」

部屋がノックされ、孫剛建が朝食ミーティングが始まると告げた。

9

「とんでもないことになってきましたねえ」

冴子は意外にさばさばしていた。彼女と会うのは一年ぶりだった。しばらく見ない間に、さらにキャスターとしての風格が出てきた。他にＰＴＢの局員五人が同行していた。そして、懐かしい顔も元気そうな笑顔を見せた。

「堂本さん、ご無沙汰です」

まだ本調子でない堂本征人は痛々しいほど痩せていたが、鷲津に向ける眼差しは昔と変わらない覇気を感じさせた。

「君も元気そうだね。その節は、色々ご迷惑を掛けた」

「迷惑なんてとんでもない。あれは私のミスですから」

堂本は気にするなと言いたげに鷲津の肩を叩き、席に着くように促した。

彼と共にＥＢＯを仕掛けたものの失敗に終ったジャパン・ジャーナル社は、現在も深刻な経営危機にあるらしい。鷲津はその情報を聞くなり、リターンマッチを持ちかけた。だが、堂本は「元々、会社経営というガラじゃないから」と固辞した。

「みごと復帰されましたね。さすが堂本さん」

「いや、老醜を晒してお恥ずかしいんだけれどね、やっぱり雀百までなんとかだね。今の世の中を見ていると、じっとしていられなくて」

「マンネリ化していた私たちの番組にも活を入れていただいています」

冴子が目を細めて堂本を称えた。回復した堂本がフリージャーナリストとして復帰すると聞いた鷲津は、メディアの知人に彼を紹介した。冴子もその一人だ。表立った支援は差し控えたが、何とか力になりたかった。

「私の愚痴を上手に拾ってもらっているに過ぎない。しかし、まさか上海くんだりまで来ることになるとは思わなかったよ」

笑い声が広がった。クルーに溶け込んでいる堂本を見て、幸福とは、その人の能力が発揮できる場を常に持ち続けることかも知れないと鷲津は感じた。

「それで、成果はどうですか」

食事が始まるなり、堂本に感触を訊ねた。

「賀一華という男、そして彼を取り巻く人物は、とても面白いですよ。上海の名門に生まれながら、破天荒な父と奔放な母親に振り回されたからこそ、あんな怪物が生まれたんだと思うね」

鷲津が知りうる限りの賀の関係者情報を、冴子に提供した。そしてこの日は、賀一華の父親を冴子らに紹介することになっていた。行方がわからなかったのを、孫が昔の情報源の協力を得て見つけ出したのだ。

賀一華の父親は太子党ではあったが、権力を笠に着て暴利を貪った結果、党から葬り去られた人物だった。現在は、蘇州《スジョウ》の大きな農園主になっているが、生活は質素で、息子とも疎遠だった。また、母親は、一華が五歳の時に、父の弟と出奔してしまう。だが、義弟との関係も長続きせず、その後の消息は不明だった。

一華は気難しい父と暮らしていたが、高校時代に家を飛び出している。苦学して上海の名門校である復旦《フーダン》大学に進学し、在学中に始めた株式投資で利を上げ、ニューヨークに渡った。

「一華はニューヨークでもかなり苦労したようです。当時の彼を知る友人と、賀が最初に勤めた小さな証券会社の社長にも、ウチのニューヨーク支局がインタビューしています」

ＰＴＢの取材班は、一華に買収された複数の経営者の取材にも成功していた。赤いハゲタカと揶揄されるほど、容赦なく買収先の資産を奪い去る男だと、冴子が報告した。

「真相はまだ摑み切れていないんですが、共産党の幹部が持っていた企業からは、非道に近いようなむしり取り方をしています。日本でも、バブル崩壊直後の不良債権処理では、外資系が相当あくどいことをやったと言われてますが、一華に比べれば可愛いもんです。彼のやり方はまるでマフィアです」

賀が買収した日系の合弁企業では、日本人の董事長《ドンシジャン》（会長）が自殺していた。その遺族にも話を聞いたらしい。

取材班が集めた素材と、バランス感覚と説得力のある堂本の分析があれば、日本国内で賀の評判はさらに降下し、アカマ同情論は過熱するだろう。もっとも、今朝の毎朝新聞のスクープで、その効果に翳りは見えてきたが。

「堂本さんは一華をどう見ています」

「実はね、ここに来る直前に、彼本人にも会ったんだよ」

鷲津はフォークを持つ手を止めた。

「あれは本当に人たらしの若者だよ。私ですら好感を持った。ただ、常に虚無感を抱いているようなのが気になった」

「虚無感ですか」

堂本はミネラルウォーターをグラスに注ぎながら応えた。

「全てを演じている気がするんだ」

そう言う堂本の顔つきは、昔に比べて柔和になっているような気がした。老いた印象もある。死線を彷徨《さまよ》い、社会的地位も失いかねない地獄からはい上がってきたことで、達観した心境になったのかもしれない。

「虚無感という言葉は、意外ですね」

「私もびっくりしたんです。会ったら叱り飛ばしてやるとまでおっしゃっていたのに」

鷲津だけでなく冴子にまで言われて、堂本は苦笑した。

「怒る気になれないんだ。一華は何かが欠落しているんだ。それは生まれ育った環境によるものだと思う。だから、今日の父親のインタビューは、とても楽しみだよ」

賀一華という人間を様々な角度から分析するのは、重要なことだった。単なる投資家というには、彼はあまりにも無軌道すぎる。真実の一華が見えた時が勝負どころかも知れない。そういう意味で、堂本の存在は百人力に価する。

「近いうちに、スタジオで鷲津さんと賀の対決をやればもっと嬉しいんですけど」

「いや、私の出る幕はないですよ。それに、一華は出演を拒否しているんでしょ」

キャスターとしての職務も忘れず隙あらば狙ってくる冴子を、鷲津はやんわりと制した。

「だからこそと言っては失礼ですが、鷲津さん、ぜひ出演してくださいよ。そうでないとインパクトが弱くなります」

「君が出ると、賀も出てくる気がするんですよ」

堂本の見立ては正しいだろう。だが、今回ばかりは黒子《くろご》に徹したかった。

「いや、堂本さんの目だけで、賀一華という人物を浮き彫りにしてくださいよ」

堂本がじっとこちらを見ているのを感じたが、鷲津は気づかない素振りで食事に専念した。

「残念だがそうしよう。だが、諦めたわけじゃないから」

根っからのジャーナリスト魂を覗かせながらも、堂本は引き下がった。その後、一華の父へのインタビューの打ち合わせに入った。

「私は立ち会えませんが、孫が万事段取りを付けますので」

鷲津の隣で、黙々とメモをしていた孫が一礼した。

食事を終えかけた時だった。堂本が改まって、鷲津に話を振った。

「鷲津君、一つだけ断っておく。明日のリポートが、君の思惑通りになるかどうかは保証できんよ」

「それは最初から了解しています」

「私としては、毎朝の抜きネタを知った以上、アカマを単純に被害者と捉えることはできない。彼らには、日本の一流企業独特の傲慢さがある。そこは、しっかりと叩かせてもらう」

「ご随意に」

アカマに対しては、鷲津自身も同感だった。

「ついでに教えて欲しいんだが、なぜ君は、これほどカネにもならない善行をするのか」

善行とは言ってくれる。鷲津の頬が緩んだ。少なくとも堂本は、鷲津の思惑を知っていると感じたからだ。

「日本人だからでしょうね」

堂本は大袈裟に驚いて見せた。

「冗談はよしてくれ。サムライのような君が、今の日本の有り様を静観できるのかね。あんな国、一度潰れた方がいいと思っているはずだ」

「それは、あなたのお気持ちでしょう」

堂本が枯れた笑い声を上げた。

「これは一本とられたな。だが、私は報道姿勢や正義について、日本人だからという言い訳はせんよ。日本人であることを恥じはしないが、日本の恥を見過ごすこともしない」

昔気質のジャーナリストらしい気骨のある言葉だった。冴子も神妙に頷いていた。

堂本はまだ話し足りないようで、紅茶を頼んだ。

「鷲津君、グローバルスタンダードというのは、本来、北京五輪のスローガンと同じ意味じゃないのかね」

今、中国中に溢れている〝ワン・ワールド、ワン・ドリーム〟の標語だ。最近、事あるごとに、このフレーズを思い出している。別の意味を伴って鷲津に重くのしかかってくるのだ。

「これまでの世界の金融界は、アメリカの夢を実現するためにだけ存在してきた。賀一華は、そういう虚妄を打ち破るという意味でも、私は買っているんだよ」

「彼にとっては、マイ・ワールド、マイ・ドリームじゃないんですかね」

堂本の真意を探りながら、鷲津は言葉を選んだ。冴子たちが固唾を呑んで、二人のやりとりに集中していた。

「そういう考え方もできるな。だが、ああいう暴挙で国際経済を掻き回すのは、悪いことじゃない」

「確かに。今や世界は一つの市場原理で繋がっています。たとえば、昨年からアメリカを手こずらせているサブプライムローン問題は、やがて世界を震撼させると私は思っています。そういう意味では、誰かの、あるいは何処かの国の思惑で動く市場は存在しなくなる。しかし、ワン・ワールドと言いながら、自分のルールを平気で市場に押しつけるやり方こそ、資本主義の成功の方程式であることも事実です」

太陽が高くなったのか、窓から射し込む光が強くなった。昨日の雨とは打って変わり、爽やかな初夏の青空が広がっていた。

「じゃあ、アダム・スミスが言う神さまはどうだい？　神の見えざる手なるものは、市場に今なお存在するんだろうか」

誰もが鷲津の答えを待っていた。

「私には分かりません。ただ、市場には神も悪魔もないと思います。市場にあるのは、自然の摂理です」

自分で言いながら、鷲津は驚いていた。考えたこともない言葉がすらすらと口をついて出たからだ。

「自然の摂理ねえ」

堂本が紙ナプキンにメモを始めた。鷲津はそれを眺めながら続けた。

「生存競争のルールと言ってもいいと思います。そして市場とは、弱さとの闘いの場です。弱気になった瞬間、市場から排除され、敗北する。その弱肉強食の世界の中で我々が身につけなければならないのは、生き抜くための智恵と勇気です。したがって市場に正邪はなく、勝者も敗者もいない。生者と死者がいるのみです」

上手いことを言うじゃないか、政彦。それで、おまえは生者のつもりなのか。鷲津の心に巣食う悪魔が、口を歪めて笑っている気がした。

窓の近くでカモメが羽ばたいていた。黄浦江《ホアンプージャン》が近いせいだろうか。一瞬目があったカモメは、鷲津の存在などまったく気にしないように、より高く舞い上がっていった。それまで真剣をつきつけるようだった堂本の気迫が不意に緩んだ。

「いやあ、驚いた。君こそ神の領域に達したようだ」

冗談を言っているわけではなさそうだ。

「だからこそ市場にルールがいるんだろうね。だが、ルールは破られるものだ。その破壊者が新しいルールを構築すれば、食物連鎖の頂点に立つことができるが、中途半端であれば、自然の摂理とやらに呑み込まれ排除される」

堂本の結論を聞きながら、嫌な世界にいると改めて実感した。

「それが、君が賀一華を排除する理由かい」

再び尋ねられて、鷲津は全身に絡みつく目に見えないしがらみを拭うように、両手を揉み合わせた。

「市場が彼を排除するでしょう。そうあって欲しい。私はただ、生き残るためにベストを尽くしているだけです」

10

山口・赤間

「なんですって、そんなことは絶対に許しません！」

大内は、社長の前であるのも忘れて声を張り上げた。隣に立っていた保阪は、唖然として言葉を失っていた。

今、古屋は社長を辞めると言ったのだ。記事で糾弾された事実の責任を取って辞すと。

古屋は宥めるように、二人を座らせた。大内は全身に怒りを漲らせてソファに腰を下ろした。

「もう決めたことだ。これがＴＯＢを止める決め手にもなる」

古屋は枯淡の境地にいるかのようだった。そんな古屋の態度も大内には許せなかった。

「そんな重大事を、あなた一人で決めさせるわけにはいきません。今のお言葉、撤回してください」

「無理だ。あんな記事が出てしまったんだ。経営者として責任を取るべきだよ。我々は賀という熱に浮かされていた。そのせいで、アカマ本来の精神を忘れていたのだ」

「そんなものはクソ食らえです！」

社長の前とは思えぬほど、大内の理性が吹き飛んでいた。古屋はとがめることなく、ただ唇を真一文字に結んでいた。

「そんな顔をしてもダメですよ。防衛産業部門の一件で責任を取る者が必要なら、それは私でしょう。あれを提案したのは私です。あなたは、ずっと反対していた」

保阪に同意を求めた。彼はこの事態によほど驚いたらしく、せわしなく首を縦に振って追認した。

「大内さんの言うとおりです。社長、今お辞めになるのは、時期尚早です」

「いや、今しかないんだよ」

「理由を聞かせてください」

大内は詰め寄った。だが古屋は微動だにしなかった。

「ユーザーの皆様の期待に応えるのがアカマの義務にもかかわらず、私は、その期待と信頼を裏切った」

「周平さんが、お嘆きになられます」

なりふり構っている場合ではなかった。古屋に辞意を撤回させるためなら、大内はどんな手段でも講ずるつもりだった。

古屋の目は暗く沈んでいた。辛かったが、大内は視線を逸らさなかった。壁に掛けられた時計の秒針が刻む音だけが、やけに響いた。

「周平さんのためでもある」

かすれ声だったが、古屋が反論した。

「あなたがここでお辞めになることが、なぜ、周平さんのためなんですか」

涙だろうか、一瞬、古屋の目が光ったように見えた。

「私が辞めれば、賀一華はＴＯＢ提案を取り下げると言った」

「冗談でしょ。そんな甘言に乗るなんて！」

賀とは一体何者なんちゃ。落ち着かなくてはと思いながらも、大内はつい声を荒らげてしまった。なんで、こねぇにも古屋を追い詰めるんじゃ。アカマでなくても、世界にはいくらでも自動車メーカーがあるじゃろうに。

「甘言じゃない。一種の交換条件だ」

「なんの話をされているんです。我々にも分かるように説明してください」

デスクの上にあった分厚い書類袋を放り投げるように、古屋は差し出した。

「明け方に、太一郎さんが持ってきた」

書類袋には、十数枚の粒子の粗い写真、数十枚に及ぶ文書、そしてCD-Rが一枚入っていた。写真は、どこかの料亭で撮られたもののようだった。その一枚には、東京支社長の佐伯《さえき》常務らしき人物が写っていた。

「知らなかったが、佐伯君が独断で政界工作をしていた。その現場が隠し撮りされている」

さっきまで頭に上っていた血の気が一気に引いた。これはとんでもない写真だ。大内は脱力したようにソファに体を沈めた。最悪の事態だった。

「さらに、もっと嫌な写真もある」

そんなものを大内はもう見たくなかった。苛立ちのあまり頭を掻きむしっていると、代わりに写真を受け取った保阪が呻き声をあげた。

「これは」

保阪の震えるような声で、大内も渋々目をやった。どこかのリゾートホテルで撮られた写真のようだった。若い男が二人、裸で絡み合っていた。なんだ、これは。背筋に嫌なものが走った。大内は被写体の顔を見きわめようと、背広から老眼鏡を取り出し凝視した。

「あっ！」

一方は、マラリアに罹りインドネシアで病死した周平の息子、周作《しゆうさく》だった。

「こりゃ、なんですかっ」

「私にも分からないよ。だが、こういう写真を世間に出すわけにはいかない」

改めて見ると、古屋の顔は土気色だった。

「なぜ、これを太一郎さんが持っていたんです」

先に冷静に戻った保阪が訊ねた。

「賀一華からもらったそうだ」

「なんですって！」

混乱していた。だが屈辱を必死でこらえている古屋の様子を見て、ようやく事態を呑みこんだ。

「私が責任をとって退陣するのであれば、保有している株の全てを太一郎さんに譲渡すると、賀一華が持ちかけているらしい。しかも、佐伯君の問題も、賀が裏から手を回して秘密裏に処理してやると言ったそうだ」

聞きたくなかった。だが、保阪は先を促した。

「つまり、二人は手を結んだということですか」

「なんだ、驚かないんだな、君は」

「不穏な動きとして、そんな噂があったからです」

保阪の報告を聞いて、古屋は肩を落とした。彼は保阪だけに視線を合わせて続けた。

「賀一華も取締役として参加する。ただし、議決権のない優先株を五％持つだけだ。一華が求めたのは、その二つだけだそうだ」

「ならば、私を切ってください」

大内は同じ言葉を繰り返しながら、古屋に迫った。古屋の目は、保阪を見つめたまま動かない。

「選択の余地はない。全てのスキャンダルを世間にさらけ出すか、太一郎さんをトップにした新しい体制を受け入れるか」

「どっちもありえんちゃ！」

大内一人が叫んでいた。事ここに至っても未だ冷静な古屋と保阪にまで、腹が立ってきた。

「社長がお辞めになったら、一華は全ての約束を反故にして経営権を握るに決まっています」

大内の嘆きを横目に、決して感情を表さない保阪の指摘は的を射ていた。

「そうかも知れない。だが、もはや選択の余地がないんだ」

こうなれば、賀一華と太一郎を殺すしかない。大内は真剣にそう思った。

「一華や太一郎さんと刺し違えるなんてバカな気を起こすなよ、成《しげ》ちゃん。そんなことをすれば、我々はさらなる窮地に立たされる」

長年のつきあいだけに、古屋には心の内側を覗かれていた。

「社長は、どうなるんです」

「会社に残ることは罷《まか》りならんそうだ」

無念だった。自分に何もできないのが、悔しかった。

「そこで、君らにお願いがある」

なにを言うかは、すぐに想像がついた。

「どんなことをしても社を辞めず、アカマを守って欲しい」

大内はたまらず足下にあったゴミ箱を蹴り上げた。

「そりゃあ勝手ちゅうもんです。あんたは辞めて、わたしらに残れっちゅうんですか。そんなこたあ……」

古屋が近づいてきて、大内の肩に手を置いた。力強い手だった。大内は泣きそうになった。

「私も、むざむざと辞めるつもりはない。賀と太一郎さんの好きにさせないような条項を織り込むよう交渉する。特に曾我部会長と成ちゃんの同意なしでは、太一郎さんにはなにも決められないようにもするつもりだ」

そんな役はご免だった。大内の肩を摑む手に、力が込められた。

「そのために、君は代表権のある専務になってもらう。それが、私が辞める条件だよ」

俺が専務だと。

「これは私の一生のお願いだ。鷲津さんの予想が正しければ、我々はより強力な買収者と相まみえるかも知れない。それから社を守るために、成ちゃんに頑張って欲しい」

勝手っちゃ。そんな勝手は許せない。なにもかもを拒否するように、大内はまた首を振った。

買収先に身動きできないような提案をして追い詰めることをベア・ハッグと呼ぶ。だが、アカマが置かれた状況は、そんな生やさしいものではなかった。

過去に経験したことのない絶望を、大内は初めて味わっていた。

第四部

死闘

第一章　レッドゾーン

1

二〇〇八年六月一七日　上海

上海の街にはジャズが似合う。今なお街に漂う租界時代の名残《なごり》が、そう感じさせるのかもしれない。混沌と秩序、退廃と進取が入り乱れ、毎日なにかが滅び、また生まれる。この街に流れる空気に一定の法則はなく、人間のため息と嘆きを肥やしに一瞬ごとに貌を変え、真実を幻の彼方へ追いやってしまう——。

急激な近代化のうねりの中、中国の大都市は誰もが覇を競うように、尊大で威嚇的な建物を林立させて、無味乾燥な街へと堕し続けている。だが、上海市街の中心を流れる黄浦江《ホアンプージャン》の西側に広がるオールド上海だけは、時間が止まったように昔の風情を残している。その様は、共産国の思惑も法則も無視しているようだ。

日本を離れ世界を放浪していた時期、上海に滞在している時に限って、鷲津は無性にピアノが弾きたくなった。未成熟な状態でエネルギーを持て余すこの街の混沌《カオス》が、性に合っているのだろう。

上海での長期滞在時に何度かステージに立ったことがあるジャズクラブ「JZクラブ」は、フランス租界の中でも静かな一帯で知られる復興西路《フーシンシールー》の一角にひっそりと建っている。クラブ全体が紅い照明に包まれているのが特徴で、バルコニー状に並ぶ二階のボックス席から一階のステージを見下ろすのが一番贅沢なライブの愉しみ方だった。鷲津はプレイヤーとしてではなく、客としてボックス席に陣取っていた。

ステージには、上海の人気ビッグバンドであるオールドジャズバンドが登場していた。平均年齢が七五歳という手練れのジャズメンは、二〇〇七年中頃までは外灘《ワイタン》の和平飯店《ホーピン》で演奏していたのだが、ホテルの改装に伴い、活動拠点を上海体育館駅そばの華亭賓館《ファティンビングアン》に移した。そして時折、「JZ」にも特別出演している。

彼らの演奏を愉しむためにクラブに来たわけではない。鷲津は人を待っていた。しかし、約束の時刻を一時間過ぎても待ち人来らずで、仕方なくコロナビールを飲みながら、ビッグバンドジャズの名曲に身を委ねていた。ライブが最高潮を迎えた頃だった。階下から、顔見知りのサックス奏者が声を張り上げた。

「ヘイ、政彦。一曲ぐらいつきあいなよ」

鷲津はよしてくれと手を振ったが、相手は諦めない。やがて、バンマスが「我らが日本の友人だ」と言って、立錐の余地もないほど集まった聴衆から拍手を引き出した。待ちぼうけの気晴らしにと割り切って、鷲津は階下に降りた。

まるで青年のような肌艶の老プレイヤー達が嬉しそうに拍手で迎えた。メンバー全員とハイタッチした後、鷲津はピアノの席に着いた。

「いつものでいくぜ」

バンマスはそう言うと、勝手にドラマーに合図を送った。ドラムの小気味よいリズムに合わせてトランペットとサックスが加わり、スタンダードナンバーの「シング・シング・シング」が始まった。鷲津も彼らに負けじと、夢中でリズムに乗った。

歓声のせいで、柄にもなく舞い上がった鷲津は演奏に没頭した。とても老人とは思えぬ演奏をする男たちは、鷲津の気ままなアドリブに、ピタリと息を合わせるばかりか隙あらばピアノを煽った。一わたりコラボレーションで盛り上がった後、鷲津はいきなりソロを振られた。なかなか思い通りにいかないアカマ買収の準備で溜まった鬱憤を晴らすように、激しく鍵盤を叩き、感情を解放した。

どれぐらい独りで弾いたか分からなかったが、やがて会場から熱狂的な歓声が上がったところで、他のメンバーが再び加わった。「ブラボー!」という叫びと惜しみない喝采を聞いて、鷲津はようやく我に返った。スーツが汗まみれだった。ボーイが差し出す冷えたコロナビールを受け取りながら、聴衆に一礼した。そのままピアノを離れようとしたのだが、至る所から「アンコール!」の声が上がった。手拍子が鳴り始め、戻るに戻れなくなってしまった。

「往生際が悪いぞ、もう一発だ!」

バンマスに肩を叩かれると、鷲津は彼に耳打ちして次の曲名を告げた。

「珍しいなあ、いいよ。わしらが先に走るから、適当に入って好きに弾いてくれ」

鷲津は親指を立てて応じると、バンマスが足でリズムを刻み、メンバーがそれに合わせた。

本来はゆったりしたバラードなのだが、彼らは敢えて早いリズムを選択したようだ。鷲津は演奏に集中した。メンバー達の音の渦に意識が融け込むと、自然に指が動き始めた。最初は、原曲とは無縁な疾走感のある旋律で遊んだ後、不意にサビ部分に移った。

耳ざとい客がすぐに反応して口笛を鳴らした。このところずっと自分に言い聞かせるように頭の中で鳴っている曲だ。

“Que será, será, Whatever will be, will be; The future's not ours to see.”

そうだ、じたばたしても始まらない。ここは、しなやかにしたたかに行くべきだ。最後は客の大合唱になった。割れるような歓声に包まれながら、彼は二階の席に戻った。

暗がりの中で、男が待っていた。男は立ち上がると手を叩いた。

「噂には聞いていましたが、プロはだしどころかプロ以上だ。少なくとも中国には、あなたほどのジャズピアニストはいない」

低いがよく通る声の男は、人を食ったように口元だけに笑みを浮かべた。鷲津は腰をかがめて礼を口にした。

「ニューヨーク暮らしが長い将英龍《ジャンヤンロン》先生にお褒めいただき、光栄です」

「まずは、お待たせしたお詫びを申し上げなければならない」

マカオの教会で会った時の僧服姿の男とは、まるで別人だった。慇懃《いんぎん》だが嫌味なく、英龍は遅刻を詫びた。彼の前には、まだ手つかずのシャンパングラスが置かれていた。

久々に激しい演奏をしたせいで喉が渇いた鷲津はコロナを飲み干すと、ボーイにスコッチソーダを注文した。

「本物のマッカラン一六年を入れてくれよ」

ボーイは無言で頷いて、姿を消した。

男の正面に腰を下ろすと、スコッチソーダが無造作に置かれた。鷲津がグラスを手にすると、英龍も倣《なら》って再会を喜んだ。

「北京では派手に動き回っておられましたね」

シャンパンを一息に飲み干した英龍は、いきなりジャブを打ってきた。

「いわゆる顔見せって奴ですよ。いよいよ中国国家ファンドと事を構えることになりそうなので、少し営業活動をしておこうと思いましてね」

「情報収集だと聞きましたが」

鷲津はにやけながらボーイを呼び止め、英龍のためにお代わりを頼んだ。

「それより資金と中国サイドのバックアップは大丈夫でしょうか」

「資金面については、ノープロファイルの投資家数人に渡りをつけました。いずれも、ＣＩＣや一華《イーファ》の動きを快く思っていない人たちばかりです」

香港の場合、個人と個人の信頼関係でビジネスが成立する場合が多い。そのため、ファンドマネージャーしか素性を知らない投資家が、少なからずいた。

「それは心強い。もう一方の海亀派人脈による後方支援の方はいかがです」

英龍は二杯目のシャンパンには手をつけようとせず、まだ手中にあった空のグラスを弄んでいた。

「こちらは、一筋縄ではいきませんよ。何しろ私は香港人であり、おまけにアメリカ生活が長いので、政府や党の中枢にいる知り合いがさほど多くはない。しかし数少ない情報源によると、財政部や国家発展改革委員会の外国投資研究班は、アカマへの買収劇に強い関心を示しています」

コロンビア・キャピタルと名乗る将財閥は、莫大な資金を北京や上海の党幹部や官僚、銀行家にばらまいているという噂だった。しかも英龍の父は、諜報機関の大物でもあった。中央に人脈がないなどということはあり得なかった。

ステージの演奏に合わせてリズムを取っていた鷲津の指が止まった。

「まだ、駆け引きするつもりか」

口調を変えても、英龍は平然としていた。

「そんなつもりはありませんよ。鷲津さんは私を買いかぶりすぎだ。父が急死するまで、私はニューヨークで画商をしていたんですよ」

「昨晩、北京で財政部の大物と会ってきた」

「ほお、どなたです」

「喬慶《チャオチン》」

英龍の顔つきがこわばり、装っていたクールなポーズが崩れた。

「とんでもない大物が現れましたね。中国政府があなたを認めた証です」

「私の手で賀《ホー》一華を駆逐して欲しいと言われたよ」

英龍を上海に呼び出したのも、一華のことで訊ねたいことがあったためだった。

階下が騒がしくなったせいだろう、英龍は身を乗り出して、鷺津の耳元で声を張り上げた。

「あなたの手にかかれば、赤子の手をひねるようなものだ」

鷺津はもっとよく聞こえるように、英龍の肩に手を回して引き寄せた。

「君と一華は、親戚だとウチのスタッフが調べてきたんだがね」

「中国人は皆、親戚同士ですよ」

逃れようとした英龍の肩を、鷺津は強く摑んだ。

「そういう戯《ざ》れ言《ごと》は、他で言ってくれ。一華の素姓は、父親については詳しく紹介されているが、母親については、香港の富豪の娘という以外の情報は皆無だ」

英龍が不敵に笑っていた。

「君には年の離れた姉がいるよな。お父上が抗日運動をしていた頃に知り合った、最初の妻との間に生まれた娘だ」

「あなたはとても優秀な調査スタッフをお持ちだ。サム・キャンベルさんだけでも凄いのに、元新華社の怪しい男を引き込んでいる。彼はなかなか優秀でしょう」

一説では、元新華社通信の記者は皆、何らかの諜報活動をしているという。孫《スン》もそうなのかは不明だ。だが、ただの金融記者あがりにしては、孫には隙がなさ過ぎた。

話をはぐらかそうとする英龍の肩をまだ掴んだまま、鷲津は真偽を質した。

「ご想像の通り、賀一華は甥です。但し、互いに面識がないし、父の話では、随分前に勘当したと聞いています」

あまりにもあっさりと英龍が認めたために、鷲津は腕の力を抜いてしまった。

「怖い人だ、あなたは。どんな秘密もかぎつけてしまう」

英龍のお追従などに構っている暇はなかった。

「ということは、美麗《メイリ》と君は兄妹ということになるのか」

「そんな妹は知りません。それより、鷲津さん、一つだけ忠告しておきます。一華は太子党《タイッダン》のお気楽なお坊ちゃまでも、上海のセレブでもない。将一族の面汚しです」

英龍は汚いものを吐き捨てるような言い方をした。

「私はファミリービジネスとは長い間、無縁で生きてきました。死んだ長兄は一華を知っていたようでした。その兄がかつて、一華は父の一番暗い部分を一人で受け継いだようだと言っていたのを覚えています」

将陽明《ヤンミン》は相当な切れ者であると同時に、目的のためには手段を選ばない冷血漢だったと、孫は報告していた。その祖父の血を最も色濃く受け継いだと聞いて、鷲津は一華に対して抱いた印象が間違っていなかったと思った。

英龍が耳元で囁いていた。

「証拠はありませんがね、私はあいつが父を殺したんじゃないかと思っています」

英龍の顔をまじまじと見つめたが、能面のような無表情で見つめ返された。感極ったようなトランペットの音が聞こえてきた。それが妙に胸を締め付けた。鷲津は胸のつかえを取りのぞくようにスコッチソーダを流し込んだ。

携帯電話が振動していた。ディスプレイの名を確認してから、鷲津は電話に出た。

「鷲津です」

「夜分に失礼します。アカマ自動車の大内です」

2

山口・赤間

携帯電話のフリップを静かに閉じて、大内は取締役室のバルコニーから空を見上げた。昼間はぐずついていた空に晴れ間が出たようで、星が瞬いていた。

――古屋さんと、会わせてもらえますか？

古屋が辞意を表明したと告げただけで、鷲津はそう切り出した。理由も聞かずに申し出てくれたことに、大内は驚いた。今は上海だが明日の午後遅くならそちらに向かえると、あの男は言った。ただ一つだけ、条件を出してきた。

――それまで、古屋さんの辞意表明を伏せられますか？

大内は何度も礼を言い、確約した。悩んだ末に藁にも縋る気持ちで鷲津に話してよかったと、素直に思った。

本来なら、まず加地に相談すべきだった。加地は今、芝野と会っている。こんな時に、日本を代表するターンアラウンド・マネージャーである芝野が、赤間を訪れているのも何かの縁だ。この際、直面する危機の打開策をしっかりアドバイスしてもらおうと大内は決めていた。

にもかかわらず鷲津に連絡したのには、理由があった。かたくなな古屋を翻意させられるのは、鷲津をおいて他にいないと考えたからだ。それにあの男なら、ここのところアカマにまとわりついている悪運を一掃してくれそうな期待もある。

「あんなにあっさりと引き受けてくれるとは、思わんかった」

思わず大内は声に出していた。鷲津政彦という男を引き入れることが、正しいかどうかは分からない。だが、これから起きるであろうことを想像すれば、なりふり構っていられない。毒を以て毒を制するという通り、劇薬と承知の上で、鷲津政彦の力が必要だ。鷲津という男は果たして悪魔か救世主かと揶揄したメディアがあったが、あの男は悪魔的な救世主なのだと、大内は感じていた。

午後一一時を回っていた。本来、盆地の夏はじっとりと暑い。しかし、一〇年以上にも及ぶアカマ原生林再生プロジェクトのおかげで、夜が更けると涼しい風が街を通り抜けるようになっていた。アカマ自動車が主導して、杉の植林を伐採した後に、かつては赤間のあちこちにあった雑木林を再生した。さらに、街中にも公園を多数設けた。

故・周平翁自らが森林整備に汗を流していた姿が、大内の脳裏に蘇ってきた。同時に、翁の会社経営に対する哲学も思い出した。

――会社の事業というのは、森と一緒っちゃ。すぐにモノになるもんなどない。根気よく愛情込めて育てれば、大きな恵みをもたらしよる。

株式市場に上場した以上、企業はいつでも誰かに買われる可能性がある。その一方で、金融機関からの融資に頼らず、投資家から直接資金を集められるメリットは大きい。成果を上げれば投資家と利益を分かち合えるだけでなく、企業という生命体がより深く大きく社会に根を張ることができる。さらに上場には、企業を世間に広く知らしめる勲章的意味もある。

だが翁は、名誉よりももっと大切なものがあると説いた。

――なにより重要なのは、経営陣に緊張感を与えることじゃろ。株価の変動に一喜一憂することはない。じゃけんど、経営者がふがいなければ株価に如実に表れちょうのは、ええシステムじゃろ。

アカマの創業者一族は、上場に懐疑的だった。周平翁は、そうしたアカマの閉鎖的な体質を改める努力を惜しまない人だった。以前の大内なら「赤間家とアカママンがいる限り、アカマは安泰」と信じて疑わなかったろう。だが、〝挨拶の電話〟以来、賀に翻弄され続ける今は、翁の言葉が身に沁みた。

「周平さん、これも試練なんじゃろうねえ。誰もが頼りたいと思う時に、あなたがこの世におりなさらんのは」

大内はタバコを肺いっぱいに吸い込むと、星に向かって煙を吹き上げた。一瞬、霧が掛かったように見えたが、すぐに夜気の中に消えた。

「邪《よこしま》な心を持った連中を駆逐するためには、悪魔の心を持った救世主が要るのかもしれん」

携帯電話が鳴った。大内はタバコを携帯灰皿の中に押し込んで、電話に出た。

「保阪です」

「どうだった」

これから善後策について打ち合わせたいと、芝野と加地に依頼するよう指示してあった。

「快諾してくださいました。一時間後に、ホテル・アカマグランデの特別室で」

特別室とは、人目に触れたくない来客の対応で使うために、アカマ自動車が年間契約で確保しているスイートルームだ。

「そちらの首尾は？」

「手応えはあったよ。明日の午後には、赤間に来てくれるそうだ」

「よし！」という声が、電話の向こうから聞こえた。何事にもクールな保阪も声を弾ませていた。ここに来てようやく追い風が吹き始めたのかもしれない。

「俺は、古屋さんのお宅に寄ってからそちらに向かう」

鷲津との約束を確かなものにするためにも、直接古屋に会うべきだった。ふと星空を見上げて、柄にもなく願い事をした。

「周平さん、我々に力を授けてくださいよ。俺たちは最後まで闘いますけぇ」

3

古屋の自宅は赤間市郊外にあるが、アカマ本社から車を飛ばせば一五分もかからない。両親から譲り受けた邸宅に、古屋は妻と二人で住んでいた。

マーヴェルを飛ばして丘を越えた先に、まだ灯りが点いているのが見えて大内はホッとした。就寝中の古屋を叩き起こすのは、いくら何でも申し訳ない。

電話は敢えて入れなかった。これからお邪魔したいと言っても、断られるのがオチだ。それより、直接自宅に押しかけた方が、鷲津との約束を果たせそうだと判断したのだ。大内は逸る気持ちを抑えて、制限速度を維持したまま屋敷まで辿り着いた。門灯だけが頼りなげにともる暗闇の中、鉄扉は固く閉ざされていた。マスコミの張り番がいないかを確かめた上で、インターホンを鳴らした。

「どちら様」

馴染みのある女性の声に誰何《すいか》された。

「奥様、夜分失礼いたします。大内です」

用件すら尋ねられずに、自動で門の開く音がした。大内は再び車に乗り込むと、門の中に車を滑り込ませた。玄関ポーチの灯りがともり、カラーシャツにジーンズ姿の古屋が姿を見せた。

エンジンを切るのももどかしく車を飛び降りると、大内は小走りで近づいた。

「お疲れのところ、すみません」

「来ると思っていたよ」

社で会った時よりは遥かにさばさばした様子だった。もしや、手回しの良い鷲津が連絡を取ったのかと、大内は訝りながら邸内に上がり込んだ。

古屋邸は二〇年ほど前に建て替えられていた。外観はこの地方の伝統的な民家の趣を残していたが、室内は古屋の趣味の良さが窺える和洋折衷だった。通されたリビングは、色違いのレンガで市松模様を描いた暖炉があり、その上部が吹き抜けになっていて、いつ来ても居心地が良い。丸太のように太い梁が天井にわたされているが、それもインテリアのように洒落ている。いつかこんな部屋で暮らしたいと、大内が羨む住まいだった。

古屋のお気に入りだという安楽椅子のそばには、ブランデーグラスが置かれていた。ここで古屋はなにを考えていたのだろう。

「おくつろぎのところを申し訳ありません」

「気にしなくて結構。それより、君こそ毎晩遅くまでご苦労様だ」

横並びの位置にあるソファを勧められて、素直に腰を下ろした。肌に吸いつくような柔らかな革に抱きしめられるようで、忙しかった一日の疲れが癒された気になった。

「自分で運転してきたのか」

ブランデーグラスを一瞥して古屋が訊ねた。

「はい、すぐに失礼しますので」

古屋はそれに答えず、部屋の入口で心配そうに立つ夫人にコーヒーを頼んだ。

「どうぞ、お構いなく」

「そう急ぎなさんな。慌てても何も変わらないよ」

いざとなれば即断即決する古屋だったが、普段は鷹揚であることを重んじていた。

「どうも私は、せっかちで」

二人は、互いの顔を見ないように火のない暖炉を見つめていた。冬になると毎晩、薪がくべられるとは思えないほど、手入れは行き届いていた。そこにも、古屋夫妻の性格が表れている。

あまりにも快適で本題を忘れそうになった大内は、意を決して姿勢を正した。

「こんな夜分にお邪魔したのは、絶対に聞き届けていただきたいお願いがあるからです」

「できる話とできない話があるぞ」

「明日の午後、鷲津政彦氏に会ってもらえませんか」

予想していなかったようで、古屋は訝るように大内の顔をまじまじと見た。

「なぜ今更、鷲津さんと会う必要があるんだね」

大内は黙り込んでしまった。正直に言うつもりで乗り込んできたのだが、思いがけずリラックスしている古屋を前にして、正面突破することに不安を持ったのだ。

「辞任を思い止まるように、説得して欲しいとお願いしました」

辛そうに古屋は目を閉じてしまった。

「分かっているんだろうな。社長辞任の情報は極秘事項だぞ。社外の、しかも買収ファンドのトップに漏らすとは犯罪だ」

感情を圧し殺した古屋の声は、大内にも応えた。

「覚悟はしています。しかし、緊急事態を打開するためなら、たとえ犯罪行為であっても躊躇していられません」

肘掛の上で固く握りしめていた大内の右手を、古屋が諭すように叩いた。

「大内、おまえは仮にもアカマ自動車の取締役社長室長なんだ。青春ドラマの主人公みたいな行動は慎め」

「そのまま、お返ししますよ。あなたは仮にも経団連会長を輩出するほどの大企業の代表取締役社長なんです。軽はずみな行動は慎んでいただきたい」

古屋の口元に苦笑いが浮かんだ。

「お互い様と言いたいわけか。それで、ミスター鷲津はなんと」

「詳細はなにも訊かずにただ、赤間に来ると」

「彼が赤間まで来るだって？　それはまた穏やかじゃないな」

そういう事態をあなたが招いたということです、という言葉を大内は呑み込んで、鷲津の希望を口にした。

「それまでは辞意の表明を控えて欲しいと言われました」

「いつから彼はアカマの経営コンサルタントになったんだね。私の辞意を思いとどまらせる権限なんて彼にはない」

そこで、古屋夫人がコーヒーとクッキーを運んできた。

「お気遣いありがとうございます」

大内は慌てて立ち上がり、飲み物を載せた盆を受け取ろうとした。

「とんでもない。大内さんにはいつも心配ばかり掛けますが、宜しくお願いいたしますね」

大内が恐縮している間に、夫人は手早く一人分のコーヒーとクッキーをサイドテーブルに置いた。軽い不眠症に悩んでいる古屋は、夜更けのコーヒーを控えている。

夫人が先に休むと告げて部屋を出て行くと、大内は改めて古屋に向き直った。古屋は半分ほど酒が残っているグラスを静かに揺らしていた。

「私には、あなたの辞意を思いとどまらせる権限があると思います」

「相変わらず無茶な屁理屈だな、大内。だが、鷲津さんは私に会ってどうするつもりだ」

鷲津の腹づもりは分からない。それでも、彼は必ず古屋を翻意させるだろうと確信していた。

「白馬の騎士《ホワイトナイト》ではないでしょうか」

「ハゲタカが救世主になってくれるわけか。もしかすると、賀一華や太一郎さんより厄介な相手を、母家に入れることになるかも知れないぞ」

可能性は十分ある。だが、賀一華と太一郎にアカマを委ねるよりは、遥かにましだった。

「会ってみる価値はあると思います」

「私の意志は固いよ」

「かたくなな態度からは、なにも生まれません」

周平翁の口癖を引き合いに出したことに古屋も気づいたらしく、目尻に皺を寄せた。

「かたくなじゃないさ。今日な、ウチに帰ってから、しばらくテラスでボーッと立っていたんだよ。その時の気持ちよさったらなかったなあ。随分、ああいう気分を忘れていた」

それで、珍しくリラックスして見えたのか。しかし、隠居はまだ早い。

「鷲津さんの意見を聞いても辞意が揺らがないとおっしゃるなら、その時はお止めしません」

「ほう、結構な自信だな。いつから君は、鷲津政彦信奉者になったんだね」

信奉しているわけではない。鷲津カードを切ることで事態が変わるなら、あの悪魔に魂でもなんでも売るつもりなだけだ。

大内は一呼吸置こうと、コーヒーをすすった。それまで張り詰めていた神経が緩むように思えた。

4

「芝野さん、それ、絶対ええアイデアやと思います!」

ホテル・アカマグランデのバーで、望は興奮気味に身を乗り出した。

アカマへのアドバイスの依頼を受諾した時、芝野は一つだけ条件を出した。マジテックの社員二人を同行し、工場などを見学させて欲しいと頼んだのだ。

アカマサイドが快諾してくれたお陰で、望と桶本を引き連れた芝野は午前中からまる一日をかけて本社工場のみならず、ディーゼルエンジン製造の子会社や部品メーカーまでも見て回ることができた。見学にはアカマの技術者も同行し、望と桶本は説明を聞きながら食い入るように工場ラインを見ていた。

高砂市で現実の厳しさに打ちのめされて以来、マジテックがクリーンディーゼルエンジンの部品作りに加わろうという計画は、既に現実味を失っていた。それでも、実際の現場を見ることで少しでも可能性を探ろうというのが、芝野の思惑だった。

芝野には一つのアイデアがあった。それは、桶本のような匠の技を、ロボットに移植した工作ロボットの製作だった。経産省の補助事業の一環で、熟練工の腕をロボットに記憶させようという「ITマイスタープロジェクト」にマジテックは参加している。その記録作業の後で研究員と一緒に酒を飲んでいる時、工作ロボットを作るためにこそ、自分たちの技術がいるのではないかと桶本が言い出した。芝野にはさっぱり分からなかったのだが、年々進化を遂げるロボットとはいえ、人間的なデリケートな動きには、繊細かつ微妙なさじ加減の金型が無数に必要らしい。そこにマジテックの技術が生かせるのではないかと、桶本は考えているようだ。

また、桶本が誇るもう一つの技は、完成品の微調整力にある。ロボットを要求通りにフィットさせるためには、彼らの感覚的な修正工程が必要なのだという。つまり、ロボット工学の技術者だけで匠の技術を完璧に移植するのは無理でも、桶本のような熟練工との共同開発なら、より精度の高い繊細な動きも実現可能ではないのかというのだ。

桶本の技術記録を担当していた研究員の藤原は、仲間との独立を考えているらしかった。しかし、最先端のロボット工学に長けている彼らも、職人技の領域については理解を超えている部分が多いのだ。その夜、桶本の話を聞いた藤原の目つきが変わった。

——よかったら、一緒にやりませんか？

もっとも酒の席での話だったため、芝野はそれっきり忘れていた。それが赤間に出かける直前に、藤原から連絡があったのだ。研究所を円満退職して、起業の準備を始めた。ついては、ぜひお力を貸して欲しいと。

アカマの工場を見学して、改めて工作ロボットの需要を感じた。アカマ自動車は、メッキなどの工程を、産業用ロボットに完全に委ねている。SF映画で見るようなロボットは、まるで生命が宿ったように作業していた。その正確さと精密さは想像以上だった。

見学前に桶本にだけは、藤原からの連絡について耳打ちした。そして、アカマのロボット技術と、工程の細部を特に注意して見て欲しいと言い添えた。それについての考えを、加地も揃っているこの席で桶本に訊ねたのだ。

「まあ、望君。ちょっと落ち着いて。桶本さん、どうです。ロボットには、まだまだ改良の余地がありますか」

普段なら既に布団に入っている時間の桶本は、目をしょぼつかせて答えた。

「今は人の手が必要な工程でも、いずれロボットに替えられるでしょう。特に最近の車は走るITですから、これからますます細かい作業が増えると思います。そういう部分に精度の高いロボットが参入する余地はありますやろな」

「やった！　やりましょうよ。マジテックらしい仕事ですやんか。死んだオヤジが一人で背負っていた頭脳の部分を、ロボット工学の偉い先生たちに任せられるのは、なによりですよ」

何度もガッツポーズを見せる望に、芝野も頷いた。最先端の頭脳と匠の技の融合というのは、ものづくり大国ニッポンらしい夢のプロジェクトのように思えた。

「望君、あくまでも僕の素人考えだよ。現実はそう甘くない」

望の興奮をなだめた芝野は、三人の話に耳を傾けていた加地に相談を持ちかけた。

「ロボットのベンチャーを立ち上げるという彼らも、資金的にはまだまだ厳しいそうなんです。それもあって私にメールを送ってきたようです。彼らと私たちのプロジェクトのための資金支援を、加地さんにお願いできないでしょうか?」

アカマの案件についてはFAとして参加しているが、加地の本職は投資ファンドだった。彼が率いるアイアン・オックス・キャピタルにはベンチャー向けの投資専門部門もある。

加地は空いたグラスを掲げてバーテンに「同じものを」と頼んでから、三人に向かって話し出した。

「お話を聞いている限り、私も、その夢に参加したいと思いました。日本の製造業の未来を託せそうですから」

望が食い入るように聞いていた。

「ただ、私の一存では即答できません。もう少し詳しい資料をもらえませんか。それで、ウチの専門家に引き合わせます」

芝野はホッとして、加地に頭を下げた。

「勝手な申し出をしてしまったと恐縮していたんですが、そう言っていただくだけで救われた気がします」

「頭なんて下げないでくださいよ。私は、芝野さんを盟友だと思っているんですから。これぐらい何でもありません」

お安い御用だと言うように、加地は酒をあおった。

「盟友だなんて、ますます恐縮しますよ」

「あなたも私もこの日本に、もう一度希望の火をともそうと必死になって闘っている。まさに盟友ですよ」

芝野の胸が熱くなった。悲愴感漂うマジテック再生に追われ、大きな視野から物事を見る余裕がなくなっていた。その迷路から抜け出したような感覚だった。マジテックの夢が形になれば、それは多くの同業者にも機会と希望を与えることになる。

このアイデアを自分の手で実現させたいという強い気持ちを、芝野は抑えることができなかった。もしかすると、いつまでも加地から盟友と呼ばれる人間でありたいと心密かに願っているせいかもしれない。

そんな芝野の心中を見透かしたかのように、加地は苦笑いを浮かべて続けた。

「だからと言ってはなんですが、アカマの方もお願いしますよ。どうやら大変な事態になっているようですから」

そう言われて芝野は、気持ちを切り替えた。

「ほな、わしらはこれで」

潮時とばかりに既に眠そうな桶本が腰を上げ、望も続いた。

「明日はご一緒できませんが、気をつけて帰ってください」

桶本と望は、明日の午前中に東大阪へ戻る予定になっている。望はソファから立ち上がると、改まった態度で芝野に向き直った。

「芝野さん、ほんまにありがとうございます。俺、今夜は興奮して眠れそうにないです。こんな気持ち、久しぶりです。それもこれも、芝野さんが助けてくれたお陰です」

感極まったのか、望は顔をくしゃくしゃにして頭を下げた。

「私はなにもしていないよ。この夢が実現するならば、それは君や桶本さんの頑張りがあったからだ」

それでも望は、何度も頭を下げてバーを出て行った。

「いい若者ですね」

チェイサーを口に含みながら加地が目を細めた。

「最初はいろいろと危なっかしいところもあったんですが、今では彼の情熱が我々を引っ張っていますよ」

「ああいう若者が、いつまでも希望や夢を持てる社会であってほしいですな」

異論はなかった。だが、グローバル経済の下で、生き残るために汲々とし始めた日本の企業からは、そんな気概が薄れつつある。今が踏ん張りどころだと、芝野は改めて肝に銘じた。

その時、目から鼻に抜けるような鋭さを漂わせる男性が近づいてきて、芝野に声をかけた。

「失礼します。私、アカマ自動車社長室次長の保阪と申します。別のお部屋をご用意しましたので、お移りください」

5

大内が特別室のドアをノックした時には、約束の時刻を既に二〇分ほど過ぎていた。社長辞任の発表を控えることについて古屋の了承を取った後、しばらくマスコミ対策についても相談したからだ。それも鷲津のアドバイスだった。

――当分、マスコミでのコメントをお控えになった方がいいと思います。古屋さんは正直すぎる。広報室のみで対応して、箝口令《かんこうれい》も敷くべきでは。

鷲津に「正直すぎる」と指摘されたのが古屋は嬉しかったようで、「そんなことを言っていたのか、彼は」とご満悦だった。

いつもながら思うのだが、古屋は追い詰められれば追い詰められるほど強さを発揮する。その威風堂々とした佇まいが、これまでも社員の結束力とバイタリティを喚起してきた。

だからこそ、絶対に彼を辞めさせてはいけない。気を引き締め直して、大内はドアを開いた。

「遅くなってしまい、大変申し訳ありません」

最初に気づいたのは保阪で、小さく会釈をした。保阪の正面に加地が座っていた。その隣で、白髪頭の上品な男性が微笑んでいた。

芝野健夫《たけお》、いくつもの企業を再生してきたターンアラウンド・マネージャーの第一人者だ。意外と線の細い男だと思いながら、大内は彼らに近づいた。

「こちらからお呼び立てしておきながら、遅れて申し訳ありません。アカマの社長室長、大内成行でございます」

「はじめまして、芝野です。私のような者で間に合うかどうか分かりませんが、よろしくお願いいたします」

大内が差し出した名刺を、芝野は静かに立ち上がって受け取った。中堅企業の堅実な部長に見えた。深夜にもかかわらず、ダークスーツに派手すぎないブルー系のネクタイまで締めた出で立ちには、今なおエリート銀行マンの印象があった。

「まだ、何もお話はしておりません」

席に着くと、保阪が耳元で囁いた。大内はさっそく現状を説明した。ただし、例のスキャンダルについては一切伏せた。

賀と太一郎の姑息な手段を聞いて、加地は明らさまに怒っていた。烏龍茶が入ったグラスに大内が口をつけるのを見計らったように、加地が口火を切った。

「あの坊ちゃんは、自分のやっていることの意味が分かっているのかね」

立場上、大内は何も言えなかった。加地は不服そうだったが、話題を切り替えた。

「古屋さんは？」

「一度言い出したら、引く人ではありません。すぐにでも記者会見を開いて辞任を発表する、と言い出しましたが、なんとか思いとどまらせています」

加地は額を撫でると、天井を仰いでしまった。

「それで、私にご相談というのは？」

穏やかな口調の芝野に訊ねられた大内は、無理なお願いを口にした。

「アカマは今、危急存亡の秋《とき》を迎えています。しかも、全アカマの精神的支柱だった最高顧問を失ったばかりです。ここで古屋を辞めさせるわけにはいきません。どんなことをしても、彼に踏みとどまって欲しいと思っています。そのためのお智恵を拝借したいと思いまして」

芝野は顎に手を添えると、しばらく考えこんでしまった。

「私は古屋さんと面識がないので、彼の人柄や気質が分からない。どうです、加地さん。古屋さんの辞意を翻意させる一番の手だては何だと思われますか」

「さっきから、私もそれを考えているんですがね。古屋という人は、一見すると非常にソフトで理性的な人だ。しかし根は頑固でね、そのうえ一度決断したものを翻すことはまずないタイプですな」

多くの経営者を見てきた加地らしい分析力だと感心した。古屋の性格についての詳細を加地に伝えた覚えはなかったが、本質を正しく捉えていた。

「そうすると、攻めどころは相手側ということになりますね」

予想外の答えが芝野から飛び出して、大内は興味を覚えた。その視線に応えるように、芝野が続けた。

「つまり、賀一華と赤間副社長側に、古屋退陣要求を撤回させる方法ですね」

「そんなことが、できるんですか?」

「大変でしょうね。しかし、最初から無理な話を実現させようとするんです。ならば推し進めるしかないと思います」

ユニークな発想だと思った。大内の反応を察したのか、芝野が言い訳のように続けた。

「長年、絶体絶命の企業とばかり向き合っていると、こういう見方をするようになるんですよ」

歴戦の勇士という言葉が、大内の脳裏に浮かんだ。しかも芝野は、壮絶であったはずの闘いを、ありふれた苦労話のようにさらりと話す。やはりただ者ではない。この人なら、アカマの危機を救えるかもしれない。大内は大きな期待感を胸にさらに訊ねた。

「具体的には、どうすればよろしいんでしょうか」

「そういうのは、加地さんの方がお詳しいと思いますが」

「現状では、攻撃材料はさほどないですね。せいぜい坊ちゃんのアカマ・アメリカ経営の責任追及ぐらいですか」

加地にしては珍しく歯切れの悪い答えを返した。

「いや、それは無理だ」

大内は反射的に否定した。その理由が分かっているはずの加地は強気だった。

「この期に及んでも、創業者一族だから特別扱いするとおっしゃるんですか」

言わずもがなのことを加地が詰問するのは芝野に聞かせるためだと、大内は理解した。だからといって受け入れるわけにはいかなかった。

「問題はありますが、太一郎さんは、今や創業者一族の総帥です。彼の非について、会社は公然と攻撃できません」

太一郎がどうあれ、アカマを守るとは赤間一族を守ることだと、大内は信じている。いや、本音を言えば、周平翁に傷がつくことが、大内には耐えられないのだ。

加地は、隣で体を硬くしていた保阪の意見を求めているようだった。だが、保阪はここで発言するような軽はずみなことはしない。期待外れの反応だったらしく、加地は乱暴な手つきでグラスに酒を足した。

気まずい空気が流れた。せっかく芝野が解決の糸口を示してくれたというのに、アカマの旧弊なしがらみが邪魔をしていた。話の接ぎ穂を必死で探していた大内の焦りをよそに、芝野が容赦のない質問を投げ込んだ。

「大内さん、大変失礼ですが、会社は誰のものなんでしょうか」

答えのわかりきった問いも、芝野から発せられると重みが違った。大内は苦しくなった。

「青臭いことをお訊ねしているのは承知の上です。しかし、会社を犠牲にしてまでも守らなければならない創業者の名誉とは、なんです」

そこにいる全員が、大内の答えを待つような目を向けてきた。

「おっしゃっている意味は分かります。私も芝野さんと全く同意見です。しかし、その理屈は、古屋には通じません」

苦しまぎれに言い訳するおのれが、情けなくてしかたなかった。

芝野が茶を飲んでから、訊ねた。

「赤間副社長の頭が上がらない相手は、いらっしゃらないんですか」

「おそらく亡くなった最高顧問が唯一、彼に苦言が言えた存在だと思います」

「曾我部会長でもダメですか」

曾我部は古屋とは違うタイプの経営者だが、根っこは同じだ。赤間一族という御輿を担ぎ安泰を維持することが、アカマ自動車経営陣の最大の使命だからだ。

「残念ながら無理です。無論、曾我部に相談すれば、俺が太一郎さんと刺し違えてやるよ、ぐらいは言うでしょう。しかしその時は、やはり古屋も辞めるはずです」

「あの、一言よろしいでしょうか？」

保阪が遠慮がちに切り出した。嫌な予感はしたが、大内は話を促すように頷いた。

「私の個人的意見ですが、弱みを握られてしまうと、未来永劫その相手に勝てなくなります」

こいつは一体なにを言い出す気だと、部下を睨んだ。だが、保阪は動じた風でもなく続けた。

「ならば、向こう傷を負うのを承知の上で、弱みを排除すべきではないでしょうか」

「何を言っているんだね」

持って回った言い方に苛立った大内は、突き放すように訊ねた。だが、芝野と加地には十分伝わっているらしく、二人は深く頷いていた。

保阪は、大内にだけ説明をするように体を向けてきた。

「不祥事を起こした役員を、我々が告発すべきです」

「おい保阪、貴様！」

反射的に声が大きくなっていた。芝野が絶妙のタイミングで割って入った。

「保阪さんの意見は間違っていませんよ。いや、ぜひそうすべきだと申し上げたい。かつて大手企業が総会屋につけ込まれたのはなぜか。それは不祥事を隠そうとする会社の体質があったからです。起きてしまったことをとやかく言っても始まりません。ならば、自らの手で襟を正す。それが結果的には、企業イメージを高めます」

今さら新人研修の心得のような話に、大内は反感を覚えた。東京支社長の佐伯が行った政界工作は、私利私欲のためではない。アカマを外為法の規制枠内に潜り込ませるために打った非常手段だった。いわば自己犠牲的な献身をした佐伯を会社が切り捨てるなど、卑怯以外の何物でもない。そもそも白か黒かと割り切るだけが正しいことじゃないはずだと言いたかった。

大内の表情から何かを汲み取ったようで、芝野が言葉を足した。

「会社のためによかれと思って行動されたとしても、違法行為は許されませんよ。それを正すのは切り捨てではありません」

大内は苦境に立たされた。確かに、佐伯の行動は愛社精神の域を越えている。それに、賀一華だけでなく、別の人間の手にも情報が渡っている可能性がある。迷う一方で、告発すべきかもしれないと大内も思う。だが、古屋を追い込んだ本当の原因は周作さんの方だ。あの写真だけは、絶対に外部に見せるわけにはいかない。

「古屋さんが辞意を口にするほどの不祥事って何です？」

大内の逡巡を突くように、加地がきわどい質問をぶつけてきた。

「なあ、大内さん。とんでもない話なんだろうというのは察しが付くよ。しかし、洗いざらい教えてもらわないと、私たちにはアドバイスのしようもない」

確かにそうなのだ。だが……。

「御社とＦＡ契約を結んだ際、守秘義務についての条項も織り込んだはずだ。なんなら芝野さんにも、今日の話を漏らさないという誓約書を書いてもらってもいい。だから、腹を割ってください」

芝野は同意するように頷いた。

「大内さん、差し出がましいですが、私もそうするべきだと思います。中途半端な情報開示では、加地さん達のアドバイスも鈍ります」

保阪にまで詰めよられ、大内は渋々、固有名詞は伏せて、不祥事の顚末を話し始めた。

それは、加地の想像を超えていたようで、ひと通り聞くとうなり声を上げて黙り込んでしまった。一方の芝野は、眉をひそめこそしたものの、さもありなんという受け止め方をしたように見えた。

「政界工作の方は、一刻も早く御社がその役員を告発すべきだと思います。さもなければ、取り返しの付かない痛手を被りますよ」

芝野は淡々と意見を口にした。

「泣いて馬謖《ばしょく》を斬るということだ、大内さん。違法行為を見過ごしてはダメだ」

難しい顔で腕組みをしていた加地が、低い声で芝野の意見を追認した。

大内個人に異論はない。だが、古屋辞任という結論については、変わらない気がした。古屋というのは、そういう人なのだ。

「お二人のアドバイスに反論の余地はありません。ただ、私の一存でできることではない。そして、お恥ずかしい話ですが、弊社の取締役会は告発を決して認めないと思います」

もともとアカマは秘密主義なのだ。過去に起きた数々の不祥事も、秘密主義の固い結束ゆえにもみ消してきた。そういう役員連中が、佐伯を告発するとは到底思えない。

「古屋さんが他の取締役を説得できないんですか？」

「古屋の結論は、自らが社長を辞すことで、これらの不祥事を封じ込めるというものでした。それを考えると、告発には後ろ向きだと思います」

アカマの体質が身に染みているであろう加地は、反論すらしなかった。彼は首を振るだけで口をつぐんでしまった。

芝野はそれでも諦めなかった。

「古屋さんを説得できる人はいませんか。私が話をさせてもらってもかまいませせんが、一面識もない私では効果は期待できない。彼が耳を傾けるような誰かに、御社の誤った体質を正してもらうべきです」

御社の誤った体質とあっさり言われても、大内は腹も立たなかった。そうなのだ。今起きている事態に対処するのに、アカマの伝統や習慣が割り込む余地などそもそもないのだ。

会社の常識は世間の非常識だと、よく言われる。大内自身、そうならないよう常に努力してきた。しかし、今、やろうとしている処置は〝世間の非常識〟に他ならない。大内は二人には黙っておくつもりだったカードを切った。

「一人だけいます」

芝野と加地が顔を見合わせた。大内は静かにその名を口にした。

「鷲津政彦。実は明日の夕刻、古屋の辞意撤回を説得してもらう予定です」

6

上海

「来た」

不意に叫んだ鍾《ジョン》が車から飛び出して行ったが、慶齢《チンリン》はすぐに続こうとせず、深い安堵のため息をついた。

鷲津政彦が上海に現れたという情報を鍾が摑み、彼と一緒に何ヵ所も探し回り、結局、従労に終っていた。どうせまた今度も空振りだと高をくくっていただけに、思いがけない〝当たり〟だったが、疲労した体はもう反応しなくなっていたのだ。

運転手がドアを開けて、ようやく慶齢の体は脳からの信号を感知したように動き始めた。深夜だというのに生暖かい空気に包まれて、慶齢はめまいを覚えた。長時間、狭い空間で鍾のおしゃべりに辟易したのも一因に違いなかった。

「大丈夫ですか？」

運転手に手を添えられると、彼女は無理に笑顔を作った。

「ありがとう。これくらい平気です」

既に鍾は、ジャズクラブから出てきた鷲津を捕まえて、マシンガンのように英語をまくし立てていた。あれをバイタリティと言うのだろうか。いや、そうじゃない。傍若無人の図々しさに過ぎない。

中国の若き富豪の特徴の一つだった。身なりや持ち物には異常なまでに気を遣うくせに、肝心の社会性を磨くことを忘れている。同じ富者でも、ボストンやニューヨークにいる連中は、もっと泰然自若とした風格がある。

夢中で話しかけている鍾に追いついた慶齢は、そこで初めて探し求めていた相手を目の当たりにした。写真や映像で見る印象と違い、実際の鷲津は、小柄で痩せぎすなどこにでもいそうな男だった。貧相という言葉が自然に浮かび上がってくるような特徴のない容姿を見て、鍾が人違いをしているのではないかと思ったほどだ。

「一〇分で結構です。何とか、僕たちにお時間をいただけませんか？」

鍾が張り上げた声で慶齢は我に返り、さらに一歩鷲津に近づいた。その時、鷲津も彼女の存在に気づいたように視線を向けてきた。

彼に見つめられた瞬間、背中に電気が走ったような気がした。人の心を捉えて放さない力があった。慶齢はわけもなく胸が締め付けられてうろたえた。

「君、いい加減にしないか」

鷲津の隣にいた長身の中国人が立ちはだかった。彼と鍾が睨み合っている間も鷲津の視線は慶齢から離れなかった。彼女も目が離せなかった。彼女は恐る恐る日本語で、詫び言を口にした。

「夜分にこんな場所で、申し訳ありません。でも私たち、鷲津さんにお会いしたくて昨夜から上海中を駆けずり回っていたんです」

「君は？」

鷲津が近づいてきて、日本語で訊ねた。慶齢は慌てて名刺を取り出した。

「失礼しました。スミス&ウィルソンで弁護士をしています、謝《シエ》慶齢と申します」

「スミス&ウィルソンって、アメリカ有数のローファームのかい」

「そうです。私は上海事務所に所属しています」

「日本語が上手だね」

丸裸にされるような視線に耐えられなくなって、慶齢は目を伏せた。

「北京大学で日本語を学び、日本に一年ほど留学していました」

「なるほど。それで君は、この元気で無礼な青年のLAなのかい」

無礼という言葉に、思わずくすりと笑ってしまった。思ったより間近に鷲津がいるのに気づき、また胸が苦しくなった。何をうろたえているの。こんな小心者じゃLA失格！　と、自分を励まして鷲津に向き直った。

「彼はこんな人ですけれど、どうか少しだけお時間をいただいて、私たちのお願いを聞いていただけませんか」

拒否されて当然だと思った。彼女自身、路上で不躾に仕事の話を持ち出すようなやり方はしたくない。だが、愉快そうに鷲津は眉を上げた。

「じゃあ一五分だけ、君の素晴らしい日本語に免じて話をしよう。私の車の中でいいかな」

驚きのあまり慶齢は口をポカンと開けてしまった。

「なんだ、シャーリー。鷲津さんはなんて言ってるんだ」

日本語の分からない鍾が苛立たしげにわめいた。慶齢は鷲津の反応を見て、彼は中国語もできるかもしれないと思いながら、要点を通訳した。

「ヤッホー、さすがシャーリー。君は僕の幸運の女神だ」

抱きつかんばかりにはしゃぐ鍾に呆れながら、鷲津に礼を述べた。

鷲津は長身の男に耳打ちしていた。男は怖い顔で二人を品定めし、顎で黒いワンボックスカーに乗るよう示した。後部のスライドドアが開かれたが、車に乗り込む前にボディーチェックされた。長身の男は慶齢の体も遠慮なくまさぐったが、詫び言一つなかった。

鷲津は先に乗り込んでいた。後部座席は話がしやすいようにシートが対面になっていた。

「なにか飲むかい？」

鷲津はまた日本語で訊ねてきた。慶齢は首を左右に振った。今度は英語で鍾にも同じ質問をすると、鍾はビールが欲しいと答えていた。鷲津はサイドボードからビール二本とエヴィアンを取り出し、エヴィアンを慶齢に差し出した。

「それで、話とはなんだね」

鍾が勢い込んで口を開こうとするのを、鷲津が手で制した。

「君から聞かせてくれないか」

自分を優先する理由がわからなかったが、チャンスは活かすべきだと慶齢は腹を決めた。彼女はエヴィアンを一口含んで気持ちを落ち着かせると、鷲津に断って英語で概要を話した。緊張はしていたが、なんとか簡潔に依頼事を伝えられた。

慶齢が話す間、鷲津は缶ビールを開けることもなく、彼女を正視して話を聞いていた。その視線が怖くて、何度も言葉がつかえた。話し終わると、鍾が言葉を足そうとしたが、鷲津はそこでビールのプルタブを引いて鍾を無視した。

「申し訳ないが、お手伝いはできない」

鷲津が流暢《りゅうちょう》な英語で答えた。

やっぱり。そもそも話を聞いてくれただけでも不思議だった。

「ただし、君たちが手伝ってくれるというのであれば、喜んで受けるよ」

出た。

鍾の顔から愛想笑いが消えた。慶齢が見たこともない冷たい気配が、全身から溢れ出た。

「僕らは就職活動をしているんじゃない。あんたをFAとして雇いたいと言っているんだ」

鷲津を睨む鍾は、声のトーンまで低くなっていた。

「私はFAはやらないが、君の会社のために一肌脱ぐぐらいは考えよう」

鍾は話にならないという態度でそっぽを向いてしまった。ハラハラしながら二人のやりとりを見ていた慶齢は、たまらず割って入った。

「すみません。私には、鷲津さんのおっしゃっている意味が分からないんですが」

「颯爽汽車《サシュアン》の代理人としてアカマ・ディーゼルを買収するのは、あり得ない。しかし、アカマ・ディーゼルのクリーンエンジンを颯爽汽車に提供してもらうための交渉なら考えてもいい」

願ってもない申し出だった。鍾が何に腹を立てているのかが、慶齢には分からなかった。鍾を肘で突いて、中国語で鷲津の話を繰り返した。

「奴の言っている英語はちゃんと理解しているよ。だが、なんだいあの傲慢な態度は。俺たちが奴を雇うと言ってるんだ。なのに、俺たちが協力したらお駄賃をあげるみたいに言われるのは不愉快だ」

まるで子供だった。二人のやりとりをニヤニヤしながら聞いていた鷲津に、慶齢は頭を下げた。

「素晴らしいお話だと思います。ただ、鷲津さん。私たちにどんなお手伝いをしろとおっしゃるんですか？」

鷲津は缶ビールのラベルを眺めてから、言葉を選ぶようにゆっくりと答えた。

「この国で私を支援してくれる人を集めている。お二人も支援者になってくれると嬉しいんだがね」

「私たちにどんな支援ができるんでしょうか」

鷲津は嬉しそうに慶齢を見ていたが、しばらく答えはなかった。彼はおもむろにビールを飲んでから、鍾に向かって口を開いた。

「まもなく始まるＣＩＣとの闘いで、後方支援して欲しい」

7

「もう一晩、上海に泊まることにする。そして、明日できるだけ早い時刻にプライベートジェットで山口に飛びたい」

若い二人を降ろして車を発進させてから、鷲津は孫剛建《ガンジアン》に告げた。孫は眉一つ動かさずに、「手配します」と言って携帯電話を取り出した。

その間、鷲津は急に動き始めた事態について整理していた。メガディールというのは、膠着状態が長く続いた後、何の前触れもなく突然、滝壺に落とされるように激しく動き始める。その激流の中で、いかに舵取りができるかが勝敗を決する鍵になる。そのためにも、膠着状態の間にしっかり種を蒔き、見えない糸を張り巡らさなければならない。

ところが今回ばかりは、ずっと翻弄され続けてきた。得体の知れない男達につけ回され、どう考えてもパートナーになれそうにもない連中が次々と手を差し伸べてくる。その度に相手を吟味するのだが、まるで要領を得ない。しかもかけがえのない男の死の謎を解くという別の思惑も絡んで、事態は複雑怪奇になるばかりだった。

ゲームに勝利するためには、自分のルールでプレイを運ぶ――。それが勝利の方程式だった。だが、今回はそもそもなんのゲームに参加しているのかも分からなかった。

「まるで、マカオのバカラだな」

思わず口を突いて出た言葉に孫が反応したが、何でもないと手をふったので、彼はまた電話に集中した。

勝ち運を握る誰かにありったけのカネを託すだけで、自身は観客に徹する。人に頼りっぱなしなのが中国流のバカラだった。あの熱狂を初めて見た時には、とんでもないハゲタカどもだと感じた。

あの夜、王烈《ワンリエ》という最悪のハゲタカに出会ってからというもの、ロクな目が出ない。おまけに、いつの間にか、鷲津の運気に縋る連中に担ぎ上げられ、抜き差しならない状況に追い込まれてしまった。そしてようやく我に返って、自分が立っている場所に愕然としている。

ありがたいこった。気がついたら、地獄の一丁目に立っているとはな。

鷲津の本能は、命懸けの勝負に飢えている。期待に応えるふりをして全員を出し抜き、涼しい顔で一人勝ちしたいと。

「手配完了です。ホテルは、上海大厦《ブロードウエイ・マンション》のままでいいですか?」

「いや、変えてくれ。無駄な抵抗だが、できるだけ俺の所在は不明にしておきたい」

孫は、なぜなどという愚問はしない。スパイ活動をしていたと思われる彼が、自分の下で働いている理由は定かではない。開放的に見えても、所詮は共産国家だ。鷲津をスパイするために、中国政府から派遣されているのかもしれない。だが、彼をスカウトしたサムが、太鼓判を押した言葉を信じていた。

実際、孫はよくやってくれる。サムですら「お手上げ」という中国での情報収集活動に、孫は不可欠だった。さらに、鍛え上げられた体格の持ち主で、ボディーガードとしても信頼できた。

「希望はありますか」

「空港のそばのうらぶれた安宿がいい」

孫にしては珍しく口元に笑みを浮かべて頷いた。

「それと、あの二人のことを調べてくれ」

「驚きました。あんなやり方で近づいてきた人間と話をするなんて」

手帳を開いてメモを始めた孫が、感想を口にした。

普段ならあり得ないことだが、将英龍のアドバイスを実行してみた。別れ際に彼は謎かけのような言葉を口にした。

——見知らぬ人物があなたに話しかけてきたら、ぜひ話してやってください。きっと福音をもたらすはずです。

予言通りに鍾と慶齢が現れた時、鷲津はそこに英龍の策謀を感じた。事ここに至っては、策謀をしかけられた方が刺激的だった。

「ケ・セラ・セラ。単なる気まぐれだな」

「ならば結構です。ただし、できるだけああいう行動は慎んでください。ここは日本ではありません」

「それと、明日午後四時、赤間市内集合と全員に指示してくれ」

「サムやハットフォードさんは、どうしますか」

「彼らとは上海空港で落ち合いたい」

孫がまた携帯電話を手にした。鷲津は思い直して孫を止めた。

「いや、リンには私から電話を入れる。孫は、サムに連絡してくれ」

「ご安心ください。最初からそのつもりでした」

こういう嫌味もサム譲りだった。孫は日に日に、サムに似てくる。鷲津は湿気で曇った窓を開けて、リンの携帯電話を呼び出した。

「ハーイ、政彦。北京に戻った？」

「いや、リン。事態が変わった。俺はもう一泊して、明日は直接、山口へ向かう」

「古屋君がアカマを辞めるという噂は、本当だったたってことかしら」

鷲津は舌打ちをした。既に噂が流れているのは悪い兆候だった。

「サムよ。一華の小僧とアカマのバカボンが、お手々繋いでスキャンダルを暴くって脅したそうね」

「誰からの情報だ」

そこまで漏れているのか。

「おみそれしやした」

「一華の小僧が恣意的に流しているのよ。明日には、どこかの新聞が記事にするかも」

どうやら俺は、地獄の一丁目どころか、閻魔さんの家の前まで来てしまった。湿った夜気のせいか、鷲津は気分が悪くなった。

「明日、上海空港で会おう」

「あら、どうして。今晩会いたいわ」

彼は生ぬるい風に辟易して窓を閉めた。

「それとも、今夜私といられない理由でもあるのかしら」

「そんなものはないさ」

「今の否定の仕方って、あなたが悪さをする時の間よ。また、上海で純情そうな小娘にやられたんじゃないでしょうね」

一瞬、慶齢の顔が浮かんだが、鷲津は慌てて否定した。リンは一〇〇〇キロ離れていても、鷲津の心が読める。

「滅相もない。俺はリンに会いたくてしょうがないんだ」

「じゃあ、待ってるわよ。二人の再会を祝して、グランド・ハイアットのチェアマンスイートをお取りしたから」

「だから、リン。俺は今晩は、北京には戻れないと」

「安心して、私は今、上海金茂君悦大酒店《グランド・ハイアット・シャンハイ》にいるの」

第二章　焦土戦

1

二〇〇八年六月一八日　山口・赤間

ようやく寝入った矢先に、大内は着信音で叩き起こされた。隣で寝息を立てている妻を起こさぬように携帯電話を握りしめると、そっと寝室から出た。

「こんな時間に申し訳ありません」

広報室長の千葉《ちば》からだった。何か良からぬ新聞記事が出たのだろう。大内は階下に降りながら、先を促した。

「また、毎朝にやられました」

反射的に舌打ちしていた。

「自宅にいるから、ファックスしてくれ」

書斎の明かりを灯すと、ファックスが受信を終えていた。手に取った瞬間、大見出しが目に飛び込んできた。

古屋社長　引責辞任へ

大内が小さく呻くと、千葉が反応した。

「各社から問い合わせが来ています」

「事実無根。それで押し通せ」

千葉が黙り込んだ。

「何だ」

「色々良からぬ噂が、私の耳にも入ってまして」

普段は楽観主義者の広報室長が、情けない声を出していた。

「どんな噂だ」

千葉が言い淀んだことに、大内は苛立った。

「遠慮せんでいい。情報収集は、おまえさんの仕事だろ。それを訊くのが俺の仕事だ」

「佐伯常務が東京地検特捜部にマークされているという情報が、東京本部広報室次長からありました」

さもありなん。地検特捜部が動くのも、その情報が漏れるのも、驚くに値しない。

「驚かれないんですね」

「事実無根だな、それも」

千葉は深追いせず、別の情報を口にした。

「赤間副社長と賀一華が、手を結んだという噂もあります」

「大ボラだな。そうは思わんか」

既にアカマは四面楚歌なのだ。これ以上、知られる必要のない情報をハイエナどもに投げ与える必要はない。

「私にはもう何が何だか、訳が分かりません」

正直な男だった。大内は思わず笑みを浮かべて、デスクチェアに勢いよくかけた。

「今朝は、会見するな。すべて事実無根で押し通せ。今は、何一つ言えない。おまえ、この時期に、古屋さんを辞めさせたいのか」

「まさか。古屋さんだからこそ、難局がこの程度で収まっているんだと思っています」

「なら、防波堤になれ。それも広報室長の仕事だろ」

従来のアカマの広報室長は、どちらかというと堅物《かたぶつ》で居丈高のタイプが多かった。だが、これからは明るくオープンなイメージがいいと、古屋が千葉を抜擢したのだ。今こそ、その期待にこたえる時なのだ。

「肝に銘じます」

千葉の声に幾分力強さが戻っていた。

「頼むぞ。それと、噂や未発表情報を問い合わせてきた連中から、情報源を探ってくれ」

「既に手配済みです。出どころが名村証券というのは、ほぼ確実なようです」

名村キャピタル・パートナーズ社長、楠木彰宏《くすのきあきひろ》の気障《きざ》なオールバックが脳裏に浮かんで、大内は気分が悪くなった。

「マスコミに言うちゃれ。もっと中立性を守れちゅうてのぉ。買収工作を仕掛けているFAの情報を、鵜呑みにするのは愚かなことじゃけえ」

「了解しました。明け方から、すみませんでした」

「気にせんでいい。それより踏ん張ってくれよ。ここは明るく毅然とやり過ごしてくれ」

「お任せください。それだけが私の取り柄ですから」

大内は安心して電話を切った。それを待ちかねていたように、今度は保阪から掛かってきた。

「毎朝の記事か」

大内は挨拶もせずに、本題を訊ねた。

「読まれましたか？」

「古屋社長引責辞任へ、って奴だな」

「マスコミ各社、必死で追っかけています」

それはそうだろう。日本を代表する企業のトップ交代劇を、スクープされたのだ。黙殺できる記事ではなかった。それどころか、スクープを抜かれた連中は躍起になって抜き返そうとする。そのあげくに、デマが飛び交うという悲惨な事態が起きる。

全ての元凶は、賀一華にほかならない。あいつは騒ぎを起こす天才だな、と妙な感心をして、大内は鼻で笑った。

「事実無根。それで押し通せと、千葉にも指示した。君に接触してくる連中にも、その線で頼む」

「心得ています。それより、毎朝を叩きますか？」

相変わらず過激な保阪の一言で、ようやく肩の力が抜けた。タバコをくわえながら思案した。

「どう思う？」

「天下の毎朝ともあろうものが軽はずみな記事を書くなと抗議すべきです。これで株価が下がったら、その損失分については、民事訴訟を起こして返してもらうとでも言いましょうか」

さすがに国際派の切れ者は、言うことのスケールが大きい。

「一〇〇円下がれば、いくらになるんだ」

「三〇〇〇億円の損失です」

毎朝新聞が吹っ飛ぶような金額だ。寝入りばなを叩き起こされた腹いせぐらいにはなる。

「面白い冗談だな。二日連続のスクープだからな。ちょっとぐらい毎朝を揺さぶってもバチは当たらんかもしれん」

「千葉さんと相談してみます。ところで、もう一つ気になる情報があります」

もう怒る気すら失せていた。だが、投げやりになって良いことは何もない。眠気と疲労と諦観をまとめて全身から追い出したくて、大内はタバコの煙を思いきり天井に吹き上げた。

「何だね」

「太一郎さんを担ぎ上げようとしている役員連中に、クーデターの動きがあるようで」

古屋と意見が合わず冷や飯を食わされている役員たちが、太一郎という旗頭を担いで社長交代を画策している噂は、随分前から聞こえていた。

「クーデターとは穏やかじゃないな」

「今日の臨時取締役会で古屋さんが辞意表明をしないのであれば、社長解任動議が提出されるとか」

「ウチの役員も、そこまでバカじゃないだろ」

保阪は、すぐに反応しなかった。彼が黙り込んだせいで大内は不安を覚え、たまらず根拠を質していた。

「どこからの情報だ」

「複数の役員から、太一郎派が多数派工作をしているようだが何か知っているかと訊ねられたんです」

保阪は社内の情報通として知られている。社内に情報網を張り巡らせるように指示したのは、他ならぬ大内だった。おかげで何か不穏な動きがあると、幹部自らが保阪に問い合わせる場合が少なくない。

息苦しさに襲われて、大内はタバコを灰皿に押しつけた。

「もうひと眠りさせてもらおうかと思っていたんだが、そういうわけにもいかんようだな」

「いずれにしても今何かできるわけではありませんから、もう少しお休みください。私もひと寝入りしたら、早めに出社して情報収集を始めますので」

デスクの上の卓上時計を見ると、まだ午前五時前だった。保阪の意見に素直に従うことにした。

「分かった。俺も八時過ぎには出社するよ」

電話を切ると、静寂が波紋のように広がった。耳を澄ましても、物音ひとつ聞こえない。日々の中で、こんな静けさに出会うことはまずない。常に何かが、誰かが物音を立てている。生命反応とでも言えばいいのだろうか。なのに、ここには何の気配もなく、すべてが死に絶えたようだった。

大内は、この世に自分だけが取り残されたような錯覚に陥った。生きとし生けるものの全てが眠っている闇の中で、一人さ迷っている。そんな気分だった。静寂がたまらなくなった。大声を上げたいのをこらえて、咳払いをした。その音の大きさに驚いたが、効果は長く続かなかった。むしろさらなる静寂に苛《さいな》まれる羽目になった。

大内はテレビのリモコンを手にして、電源を入れた。

〝さあ、本日の目玉商品の登場です！〟

テレビショッピングの出演者たちが感情のこもらない明るいだけの声でまくしたてるのを聞きながら、ようやく普段の精神状態が戻ってきた。一人ではないという安心感に包まれた。

「まったく、なんをやっちょるんじゃ！」

そう自分を叱りはしたが、テレビは消せなかった。チャンネルを変えると、ニュース番組が流れた。時間も季節も感じさせないスタジオに座るアナウンサーが、昨日のニュースを事務的に伝えている。

それを眺めながら大内は、現代人はメディアに触れることで、昨日と今日が違うということを確かめているのではないかという気がした。向こうから信号を送ってもらえないと、俺たちは何もできない。だからこそ、我々は不測の事態に狼狽する。それは結局、おのれの弱さだと思い当たった。

2

それが夢だというのは、芝野にも分かっていた。あり得ない光景だったからだ。

取締役会に出席していた。インテリジェントビルの役員会議室は、とても快適だった。しかし、出席者の顔つきはみな険しく、そこにいるだけで邪気に当てられそうな居心地の悪さがあった。

知った顔が何人もいた。曙《あけぼの》電機の諸星《もろぼし》社長や仲田《なかだ》専務という懐かしい顔、さらには芝野が初めて企業再生に挑んだ恵比須屋の瀬戸山《せとやま》が、しきりに首筋の汗を拭いていた。彼は芝野に気づくと、隣に座るように目で示した。一体どこの取締役会なんだろうか。それとも、何かの会合だろうか。

瀬戸山に訊ねようとしたら、議長席の近くに座るアカマ自動車の大内が手招きしているのに気づいた。

「芝野専務は、こちらへ」

芝野が応じると、見知らぬ出席者の何人かから険のある目で睨まれた。どうやら自分は招かれざる客のようだった。なのに、なぜか懐かしいと思った。

俺は何度、あんな目で見つめられる会議に出席したか。席に近づくと、大内は立ち上がって一礼した。

「よく、いらしてくださいました。まもなく古屋も参ります」

残る空席は、議長席だけだ。そこに古屋が座るとしたら、アカマ自動車の取締役会に紛れ込んだことになる。ドアが開き、執事のような物腰の加地が現れると、声を張り上げた。

「古屋社長がお見えになりました」

古屋は悠然と出席者に向かって頷くと、議長席に着いた。古屋が腰を下ろすより早く、正面に陣取っていた目つきの悪い男が立ち上がった。

「議長、緊急動議！　社長古屋貴史氏の解任動議を提出いたします」

即座にほぼ全員が立ち上がり、「異議なし！」と叫んでいた。

中央にいた上品そうな男が、立ち上がりもせず腕組みをして薄ら笑いを浮かべていた。確か、アカマ自動車創業者一族の副社長だったと、芝野は記憶していた。

「理由は何だ」

大内が悲痛な面持ちで、緊急動議を叫んだ相手に食ってかかった。

「創業者一族を蔑ろにするような人間に、経営者の資格なし！」

同意を示す声が、あちらこちらから上がった。

「皆さん、ちょっと待ってください」

思わず芝野は、立ち上がって発言していた。

「会社は誰のものですか？」

「決まっているじゃないか、創業者とその一族のもんだ」

誰かが怒鳴った。その時、瀬戸山の手が伸びてきて、芝野の袖を引いた。

「そうだよ、芝野。だから、君を再生担当専務に指名したんだ。なのに、僕が会社のカネを使い込んだって非難するんだから、困っちゃいましたよ」

瀬戸山は笑顔のままだったが、その言葉は芝野の古傷をえぐった。

「そうじゃない、瀬戸山。会社という法人になった瞬間、会社は多くの利害関係者《ステイクホルダー》のものになるんだ」

いたるところからさげすむような笑い声が上がった。

「創業者のものだからこそ、私たちは命懸けになれるんです。それを承知で力を貸してくださったんじゃないんですか」

かつて芝野が再生アドバイザーを務めたミカドホテルグループの松平貴子《まつだいらたかこ》が、とがめるように詰め寄ってきた。

「あなたが、どうしてここに」

「芝野さんのきれい事を糺《ただ》すためですわ」

初めて彼女に会った時のさわやかな印象はどこにもなかった。目の下の隈が、彼女の苦労を物語っているようだった。

「何を言うんだ。君はいつも言っていたじゃないか。ミカドホテルは、お客様とスタッフのものだと」

「そんな絵空事を信じたばっかりに、投資家たちに振り回され、何もかも失ってしまったんです。私にミカドホテルを返してください」

芝野は耐えられなくなって顔を背けた。視線の先で、あばた顔のやせぎす男がニヤついていた。

「いつまで、そんなきれい事言うとんねんや、おまえは」

芝野がかつて所属した銀行の上司であり、銀行の闇を一手に引き受けていた飯島亮介《いいじまりようすけ》が、昔と同じく、人を小馬鹿にしたように口元を歪めていた。

「ええか、資本主義っちゅうのは、資本家が金儲けするためのシステムやぞ。従業員ちゅうのは部品やな。会社が従業員のもんやとかぬかすんは、ええ加減にやめるこっちゃ」

「違う！　あんたは、まだ分からないのか！」

「分からないのは、あなたの方だ、芝野さん。青臭い書生論しか言えないあなたの座る席は、ここにはない」

飯島の隣で、鷲津政彦が嘲笑うかのようにタバコをくゆらせていた。

怒りが全身に走り、鷲津に食ってかかろうとした時、会議室のドアが勢いよく開いた。髪を振り乱した藤村浅子《あさこ》が、鬼の形相で怒鳴りつけてきた。

「また、こんなところで油売ってからに。早よ会社に戻って、機械の油差しせんかいな。偉そうにターンアラウンド・マネージャーとか抜かして、工具の手入れ一つでけへんねんから。あんたの仕事はなんやねん。一〇〇円でも多く儲けるために汗水流すことちゃいますんか」

会議室に悪意に満ちた爆笑が沸き上がったとき、芝野は悪夢から解放された。最後は悲鳴を上げていた気もする。半身を起こすと、浴衣は寝汗でぐっしょりと濡れていた。

「まるで死に際の走馬灯だな、あれは」

生きているのを確かめるように、暗いホテルの部屋で呟いた。荒くなった呼吸が整うのを待って、ベッドから降りた。ベッドサイドのデジタル時計は、午前六時過ぎを示していた。

「最後の言葉が、一番効いたな」

カーテンを開いて朝の光を取り込みながら、芝野は生々しい夢を反芻していた。夜が明け始めた赤間市内は、靄が掛かっていた。

「会社は、創業者のものか」

芝野にとっては、もはやどうでもいいような話だった。創業者が必死になって会社を建て直せるのであれば、それでいい。いや、それができないなら、誰のものでも同じことだ。大切なのは、生き抜くために全力を尽くすことだ。

「ほんとうだね、浅子さん。こんな街で油を売っている暇なんてない。せっかく、マジテック復活の手がかりをつかんだんだ。しかも、あのアイデアなら、俺にも手伝えるかも知れない。俺を必要としているのは、アカマではなくマジテックだ」

どうせ、あの男がやってくるんだから。それだけは声にできなかった。嫉妬か、それとも矜持《きょうじ》か。いずれにしても、ここに用はない。そう悟った芝野は、浴衣を脱ぎ捨ててシャワールームに入った。

3

「帰られた？」

渋い顔で事情説明をする加地に、大内はオウム返しに訊ねた。芝野が朝早く大阪に帰ったというのだ。

「自分にできることはここにはないと、言ってね」

加地は致し方ないと言わんばかりに、禿頭を撫でた。

「無責任に過ぎませんか」

大内は怒りを抑えられなかった。

「芝野さんに、どんな責任があるのです」

加地は、大内の反応を予想していたように見えた。それが余計に腹立たしかった。

「我々の内情を、あそこまで吐露したんです。最後まで責任を持ってアドバイスをしていただかないと」

「彼は十分してくれたと、私は思いますよ」

確かに昨夜、今後の対応について芝野は意見を述べた。

──どんなことをしても、古屋さんを辞めさせないことです。そして、創業者一族の副社長や、会社のために違法行為を犯した東京支社長を告発する勇気を持ってください。不毛の闘いのように見えるTOB合戦ですが、結局は勝つという強い想いと覚悟を持つ者が生き残るのです。

経験に裏打ちされた正論ほど強いものはない。それが言える芝野だからこそ赤間に残って助っ人になってほしいと切望していた。俺達の悲痛な声をどうして聞き入れてくれないんだ。

「鷲津さんに縋ったのが、お気に障ったんでしょうか」

大内は思いついたことを口にしてみた。昨夜は、芝野は数日はここに留まってくれそうだった。なのに翌朝、挨拶もなく突然帰ったとなると、原因はそれぐらいしか考えつかない。

「芝野さんを見損なっちゃいけない。彼はそんな心の狭い男じゃない。大内さん、あんた、何も分かっちゃいないな」

加地が強くなじった。初めてのことで大内は怯んでしまった。

鷲津が赤間市に来ると聞いても、芝野は気分を害したようなそぶりは見せなかった。むしろ「よかったじゃないですか」とまで言った。とはいえ、そもそも彼ら二人が、仇敵に近い関係だったのは有名な話だ。

　大内の戸惑いを察したように、加地が言葉を足した。

「これは、彼からの無言のメッセージなんだ」

「おっしゃっている意味が分かりませんが」

　苛立ちが声に出ないように、大内はできるだけ丁寧に返した。

「誰かに頼るのではなく、社の人間だけで死地を切り抜け、活路を見出せ、という意味です」

　社の人間だけで死地を切り抜け、活路を見出せ――。考えるだけで不安に圧し潰されそうになったが、大内は耐えた。いや、耐えなければならないのだ。

「厳しい方だ」

　皮肉ではない素直な気持ちだった。

「厳しくもあり、優しくもある。自分がアカマにできることはなにもない。あるとすれば、本来は大内さんらが気づくべきことを、指し示す程度だと。それは人に教わるより、自身で悟る方が遥かに意味があるんですよ」

　果たして自分たちは、賀一華に倒される前に、その真理に到達できるのだろうか。

「ほら、あんたのその弱気な顔。それが、芝野さんを帰る気にさせたんだと思うよ」

指摘されて、大内は思わず顔を拭った。

「そんな弱気な顔をしていますか」

「大内さんも古屋さんも、とても強い人だ。私がＦＡを務めた企業の中でも、ピカイチだよ。だから余計に、不意を衝かれた時の動揺や不安が目立つんだ。いわば心の隙だな。それが弱みになる」

一瞬でも隙を見せれば、つけ込まれる。理屈では分かっていても、生身の人間には難しい。

「鷲津君や賀一華を見て思わなかったかね。連中は一見、隙だらけに見える。あの方が攻めにくいんだ。武骨はおたくらの長所だが、長期戦になると不利になる」

いちいちもっともだった。鷲津に会った時、こんな貧相で弱々しそうに見える男が、本当に日本最強のハゲタカなのかと訝ったのを、大内は思い出していた。賀にしても青二才のお調子者という印象が今でも拭えない。

「だが、急に彼らのようにはなれません」

「無理になろうとする必要なんてない。だが、自分たちの長所短所を知ることは重要だ。おのれを知れというのはね、単に自問自答しろという意味ではない。自らを突き放して冷徹に分析するという意味ですよ」

徹底したリアリストらしい加地の言葉は重かった。

芝野が赤間を去り、加地が闘いの極意を伝え、ゴールデンイーグルの異名を持つ買収王が上陸する。今こそ、大内や古屋自身が先陣に立って、闘う覚悟が必要なのだ。

大内は大きく深呼吸してみた。滞っていた血液の流れが良くなった気がした。

「加地さん、ありがとうございます。改めておのれの甘さと弱さを痛感しました。誰かに頼っていては勝てませんね。私たち自身が勝つ気で挑まねば、そもそも勝負にすらならない」

「その意気だ。でね、芝野さんからの伝言が、もう一つあるんだ。今日の取締役会は注意されたし、と」

「どういう意味です？」

加地は誰もいない応接室を見渡し、秘密を打ち明けるように小声で囁いた。

「太一郎さんがクーデターを起こす可能性も想定すべきだと」

大内は不快感を隠し切れなかった。

「なんだ、想定済みの驚きだね」

実は保阪から明け方に電話があり、「社内にクーデターの噂がある」と忠告されていた。それを告げると、加地は深刻そうに眉を寄せた。

「で、なにか対策は？」

答える前に立ち上がった大内は、部屋の隅にある電話で、保阪にすぐ来るように指示した。

「実は、保阪の懸念を一蹴してしまいました」

創業以来、アカマは社員の結束力を最大の武器にして、成長を続けてきた。発祥の地にこだわり続け、山口県赤間市に本社を据え置いたまま事業を展開してきたことも、従業員の帰属意識を高める効果をもたらした。創業者の偉業は高く評価しながら、オーナー会社に堕する愚行を犯さないための努力も惜しまなかった。その甲斐あって社内には、派閥らしきものすら長らく存在しなかった。

それが一体どうしたというのだ。幹部の足並みは乱れ、誰もが得心の上で就任したはずの古屋の足をひっぱる役員が、むしろ増えている。大内は同じアカママンとして情けなかった。

「なんでこんな事態が起きるんでしょうか？」

「危機というのはね、不満や綻びが噴き出す時でもある。一枚岩だと思っていたアカマにも、長年溜まった澱《おり》や矛盾があったということじゃないかな」

会社の屋台骨が大きく揺らごうとしているこの時期に、きしみが出てくるということは、結局は古屋や自分の責任ではないのか。大内が黙り込んでいると、ノックに続いてドアが勢いよく開き、保阪が入ってきた。

「取締役会についてのおまえさんの危惧だが、どうやら現実になりそうだ」

そう告げても保阪は眉一つ動かさずに、大内の話を補った。

「私もさらに情報収集をしていたのですが、同様の感触を持ちました」

体温を感じさせない口調が、却って大内を動揺させた。古屋に辞任発表を思いとどまらせただけで十分だと思っていたが、それだけでは足りないようだ。

「加地さん、今日の取締役会は延期した方がいいですかね」

加地も即座に同意した。

その時、内線電話のけたたましい音が響いた。保阪が電話に出て、すぐに大内の方を振り返った。

「上海の鷲津さんからだそうです」

掴み取るように受話器を受け取った大内だったが、まず落ち着こうと深呼吸をしてから電話に出た。

「鷲津です。これから上海を発ちます。お願いしていた件は大丈夫ですか」

入管の関係で、山口宇部《うべ》空港ではなく、福岡空港に彼らは降り立つ。そのために迎えの必要があったのだが、それについて鷲津から希望があった。

——古屋さんと大内さんが空港まで来てくださるとありがたいのですが。

最上級のもてなしで迎えようという傲岸不遜な要求かと思ったが、鷲津は「移動中に反撃に転じるための作戦を練りたい」と説明した。

「準備万端です」

「ところで老婆心ながらお訊ねしますが、今日、取締役会をお開きになる予定があったりしますか」

鷲津はなんでも知っている。

「ご推察通りです」

「ひとまず、私が古屋さんにお目にかかるまでは、控えてもらえませんか」

受話器を握りしめた掌が汗ばんだ。大内は救いを求めるように加地と保阪を見た。

「取り止める理由はなんです？」

「クーデターを起こされる危険があります。ここは用心に越したことはありません」

4

東シナ海上空

飛行機が公海上空に達したというアナウンスに、サムがほっとしたようなため息をついたのを、鷲津は見逃さなかった。

「なにか心配事か」

「中国政府が、こんなにあっさりあなたの出国を許すのが理解できなくて」

鷲津の隣で、忙しなくノートパソコンのキーを叩いていたリンも顔を上げた。

「どういう意味だ」

「あなたは、賀一華のアカマ買収工作を阻止するために帰国するんです。中国政府にとってはアカマを手に入れることが、最重要課題のはずです。一華にも問題があるとはいえ、あなたが日本に戻るのを阻止するのが筋です」

「俺が見くびられたってことだろ」

リンのしなやかな指が、鷲津の頰を軽くつねった。

いるわよ」


「真面目に答えなさい、政彦。あの国は、あなたを見くびるどころか、過大評価して
　鷺津は薄ら笑いを引っ込めて、サムに問うた。

「なぜだと思う」

　鷺津の方をちらりと見やったものの、彼は口をつぐんでしまった。

「サム、遠慮しなくていいわよ」

　それでもサムは口を開かなかった。鷺津は先回りして答えを口にした。

「あの国では、カネが物を言う。たとえ死刑判決を受けても、カネさえ払えば娑婆の出入りも自由自在だ。入国管理官や税関職員にたっぷり握らせたんだ。スムーズで当然だろ」

「カネだけもらって、あなたを拘束するぐらい、連中には朝飯前です」

　難しい顔をしたままサムは反論した。

　俺はテロリストでも革命家でもないのだ。問題なく出国したからと言って、首を傾げられたくはない。鷺津は淀んだ空気に耐えられなくなって、パーサーにシャンパンを頼んだ。

「考えすぎるのはやめにしないか。ケ・セラ・セラ、なるようになるってのが、最近

の心境でね」

「政彦、その歌が主題歌になった映画のタイトルを知ってる？」

リンの眼はさらに険しくなっていた。

ヒッチコック映画だったがタイトルまでは覚えていなかった。

「『知りすぎていた男』よ。まさに、あなたのことね。あんまり呑気なこと言ってると、いきなり飛行機の窓から捨てられちゃうわよ」

そういえば、そんな映画もあったなとは思ったが、運ばれてきたシャンパングラスを手にすると、リンに向かって乾杯した。

「こちらの堅物おじさんにはペリエをやってくれ」

黙り込んだままのサムの代わりに、パーサーにペリエを一本頼んだ。

「孫悟空でしたっけ、世界を股に掛けて大暴れしていると思ったら、ずっと釈迦の掌の上だったたっていうエピソードは」

「それがどうした？」

「中国政府から見れば、あなたは孫悟空かもしれない」

「なにを言い出すんだ」と笑いながらも、サムに共感している自分がいた。

「どういう意味？」

鷲津より遥かに真剣な目つきでリンが訊ねた。

「最初から気になっていたんです。この一件が始まって以来、政彦は常に誰かに操られている」

パーサーがペリエをサムに渡した。彼は一口飲んでから続けた。

「今までは、むしろ政彦の方がターゲットを揺さぶっていた」

「物事には巡り合わせってのもあるぞ」

「真面目に聞く気がないのなら、せめてその減らず口はやめてちょうだい。サム、私にも言わせて。これだけ情報収集しているにもかかわらず、予想外のことばかり耳に入る」

リンに止めを刺されて、鷲津は聞こえよがしにため息をついた。

「オッケー、おまえさんたちの意見に異論はない。だがな、誰かに操られていたとしても、前進することにしたんだ。鬼が出ようがサタンが待ちかまえていようが、相手に不足はない。俺が一番嫌いなのは、見えない敵に怯えることだ」

鷲津の空元気と思ったのか、リンは冷めた目で見つめていた。

「どうせ俺たちは、神の見えざる手によって動かされる市場に生きているんだ。赤い悪魔の見えざる手に翻弄されるのも一興じゃないか」

サムはやってられないと言いたげに首を振ったが、反論はしなかった。

鷲津がわざとらしくケ・セラ・セラを口ずさんでいると、電話が入っているとパーサーが告げにきた。機内に備えつけの電話を取る時に、窓を覗いてみた。チャーターしたリアジェットは、白い雲の絨毯の上を飛んでいた。太陽の光を反射する雲は新雪のようにまばゆく、鷲津は目を細めた。

電話の主は孫だった。鷲津の指示を受け、彼一人が上海に残った。

「捕まったか」

将英龍をできるだけ早く捕まえて、メッセージを伝えるように指示していた。

「今、会ってきました」

孫に命じてわずか三時間しか経っていなかった。

「さすが、仕事が早いな」

「彼もちょうど上海を離れるところでした」

身の危険を感じているはずの将も、中国には長居をしたくなかったのだろう。孫が報告を続けた。

「ボスからのメッセージを、彼はその場で読みました。そして了解したと伝えて欲しいと」

思わず拳に力が入った。

「ありがとう。残るもう一件の方もよろしく」

前夜、いきなり商談を持ち込んできた鍾論《ルン》と謝慶齢の調査だった。

「承知しました」

「くれぐれも、身の安全には気をつけてくれよ」

電話を切ると、近くの席に腰を下ろした。昨夜遅く、リンと久々の逢瀬を楽しんだ後、ようやくいつもの感覚が戻ってきた。「神が降臨した」とでも言いたくなるような閃きがあり、頭の中で明滅するアイデアをすぐにノートパソコンに打ち込んだ。余韻を味わっていたリンをビジネスモードに引き戻して、自説をまくし立てた。

最初は「無粋な男」と怒りを露わにしていたリンも、プランの詳細を聞くうちに目つきを変えた。そして明け方近く、一つの奇策ができあがっていた。

うまくいけば、賀一華はもちろん、ＣＩＣすら敵でなくなる。

だが、サムが危惧するように、連中はまだ手の内はおろか自分たちの姿すら現していない。

あれほどご執心だった王烈が、掌を返したようにおとなしくなったのはなぜか。北京での密談の意味は。本当に政府の一部にＣＩＣ批判があるのか――。

全てが偽計でない保証はどこにもない。赤い悪魔の見えざる手とは、俺もうまく言ったもんだ。自嘲気味に口元を歪めて、窓の外に目を向けた。

リアジェットの機影が、眼下の雲に映っていた。鷲津にはそれが、CICの総経理補佐・王烈のように思われた。もしかすると、奴はこの機の真下にピッタリ貼り付いて、日本に向かっているかもしれない。

得体の知れない相手との闘いに、血がたぎった。同時に、我ながら不思議なほど頭が冴えている。

人の気配を感じた。

「シャンパンをもう一杯いかがですか」

パーサーに微笑まれた鷲津は恭しくシャンパングラスを受け取ると、機影に向かってグラスを掲げた。

5

日本海上空

「あと四五分で、福岡空港に到着します」

仮眠を取っていた鷲津は、操縦士の声で目を開けた。すぐに熱いおしぼりと冷たいエヴィアンがサービスされた。前夜ほとんど眠れなかっただけに、貴重な睡眠時間だった。冷たい水を一気に飲み干すと、席を移って窓の外に目を凝らしていたサムに声を掛けた。

「まだ、悩んでいるのか」

「そうじゃありません。こうしていると気持ちが落ち着くんです」

サムにしては、珍しい言葉だった。

「なにがおまえさんの気持ちを乱しているんだ」

「世界中を飛び回っていると、自分の住み処がどこだったか分からなくなってしまうんです」

飛行機が降下するにつれて、雲の色が濁った。

「動物ほどではないにしても、我々にも帰巣本能があります。自分の生まれた場所、あるいは住み慣れた場所に対する安心感です。私の場合なら中禅寺湖の山小屋に戻った時、ここが居場所だと実感するんです。ところが最近、その感覚がおかしくなっている。どこにいても既視感がある一方で、中禅寺湖に戻っても落ち着かない」

「そんなもんか」

とっくに帰巣本能なんて消え失せていた。

「まあ、政彦みたいな糸の切れた凧には、分からないと思いますがね。昔は激務を終えると、自分だけのとっておきの場所に戻ることでリセットできた。それがここ数年、どうもよくありません」

サムは窓を見つめたままだった。

なにを思っているのか、鷲津には痛いほど分かった。サムは本気で引退を考えている。いや、彼はもう何年も前からそのつもりだった。だが鷲津のために、時期を引き延ばしていたのだ。

「無理ばかりさせているからな」

申し訳ないという想いが滲んだらしく、サムが驚いたように振り向いた。

「私は好きで仕事を続けているんです。以前に比べれば、随分ゆったりと仕事をさせてもらっているし、いろんな意味で充実しています。ただ、長年溜まったなにかが、私の本能を少しずつ狂わせているんだと思う。それが嫌なんです。だから、時々こうして場所を認識して、自分がどこからどこへ移動しているかを意識づけるようにしているんです」

その自覚がないせいで、正体不明の欠落感に苛まれ続けているのだろうか。

「やはり、潮時なんだろうな」

「引退したからと言って、神鷲《いぬわし》が獲物を捕るのをやめますか」

痛いところを衝かれたが苦笑いでごまかし、サムの肩を叩いた。

「やめてみせるさ」

サムの視線の先に日本がある。哀しいことに、その辺りの雲は鉛色に見えた。

「まもなく最終の着陸態勢に入ります」

アナウンスが終わる前に、リアジェットは乱気流に巻き込まれた。

福岡空港

6

福岡の空は、重苦しく曇っていた。上海にはない生ぬるい湿度を感じて、日本に帰ったのだと鷲津は自覚した。

空港では、前島とLAを務める企業法務弁護士の青田大輔《あおただいすけ》、FAの石岡紳一《いしおかしんいち》が揃って出迎えた。ジャーマン・インベストメントのM&A本部長を務める石岡とは、彼がゴールドバーグ・コールズでリンの部下として活躍していた頃からのつきあいだ。リンは石岡を見つけると大喜びして抱きしめた。リンの抱擁から逃れた石岡は、鷲津を見るなり頬を紅潮させた。

「久しぶりのメガディールに興奮して、いてもたってもいられませんでした」

「期待しているよ。アカマの防衛策研究は万全か、先生」

隣で嬉しそうにしている巨漢の青田弁護士に近づいた鷲津は、周囲の騒音に邪魔されないように耳元で訊ねた。

「ご安心ください。それにしても、あそこの防衛策はとんでもないですよ。『具体的な施策は、防衛対策委員会の判断に委ねる』という白紙委任状を委員会に与える特別決議をしています。こんな異例の対抗策が法廷で認められるのかは分かりませんが、少なくとも防衛対策委員会が承認さえすれば、なんでもやれます」

青田には、防衛策の具体例を検討するよう命じていた。「なんでもやれる」アカマの策の範疇《はんちゅう》に、鷲津が昨晩遅くに閃いた方法が収まるかどうかが、一つの鍵だった。

「アカマ・スペシャルはやれそうか」

鷲津とリンの命名した究極の白馬の騎士《ホワイトナイト》プランに対し、青田は太鼓判を押した。

「日本では過去に例がない策ですが、やれると思います」

それで十分だった。時間稼ぎができればいい。その上、相手の攻撃意欲も削げたならば、成功したも同然だった。徹夜で研究したらしく、目を真っ赤に腫らしている青田の背中を労うように叩くと、鷲津は前島に訊ねた。

「アカマの二人は？」

「まもなく到着します。私がお迎えに上がります」

細工は流々だ。後は見てのお楽しみと行こうじゃないか。

「では、わが戦場へ赴くとするか」

一行が歩き出した時、だしぬけにリンの悪態が響いた。立ち止まって振り返ると、恋人が携帯電話相手に怒りをぶちまけていた。

「いいわね、ガキの使いじゃないのよ。どんなことをしても見つけて。さもないと、あなたを殺すわ」

久々に見たリンの最上級の怒りだった。

「なんだ、リン。なにがあった？」

リンは唇を固く結んだまま、答えようとしなかった。ただ、電話を持つ手が震えていた。

「リン」

「美麗が……彼女が、消えたの」

7

鷲津とリンは貴賓室に向かったが、騒々しいマスコミの出迎えもなく静かなものだった。扉の前まで来た時、前島が一礼した。

「私は、これから古屋社長らを迎えに行って参ります。サムさんや青田さんらは、先にへりで赤間に向かってもらいます」

「よろしく頼む」

鷲津が言い終えないうちに、同行していたボディーガードがローズウッドの重そうな扉を引いた。途端に、タバコの匂いが鼻をついた。鷲津は大袈裟に手を振って煙を振り払いながら、室内に足を踏み入れた。

「総裁、遅くなってしまい申し訳ございません」

「おお、ようやくお大尽さまのお越しやな」

飯島は小柄な体を精一杯大きく見せるように、黒革張りのソファでふんぞり返っていた。

「あんまり遅いんで、今日はここでお泊まりやと思とったわ」

ＵＴＢ銀行で頭取まで勤め上げた男とは思えない下卑た関西弁で、飯島は嫌みをぶつけてきた。

鷲津はそれを聞き流して、飯島の隣に腰を下ろした。飯島を挟むようにリンも座った。

「何やハットフォードはん、まだこんな男と付き合ってはりますのんか。どうです、そろそろわしのようないぶし銀の渋い男に、乗り換えはったら」

関西弁も理解できるリンは、涼しげな笑い声を上げた。

「そんなことをしたら、ぽん太さんに叱られますわ。それにしても飯島総裁は、相変わらずお盛んでいらっしゃいますのね」

飯島は大げさに降参した。

「今の話は、ぽん太に内緒でっせ。ほんまわしは、このお方だけは苦手や。ボーッとしてたら喉元を切られそうやからなあ」

飯島を接待していたグランドホステスに声をかけた鷲津は、二人分のコーヒーと飯島のためのスコッチを頼んだ。しばらくは世間話を続けていたが、三人の前に飲み物が置かれると、鷲津は人払いをした。扉が閉まるのを確認した上で、改めて飯島に礼を言った。

「急なお願いにもかかわらず、福岡までいらしてくださって助かります」

先ほどとは別人のような小難しい顔つきになって、飯島はタバコをくゆらせた。

「ほんま、おまえさんの人使いの荒さにも困ったもんやな。総裁やなんやと持ち上げんでええから、そっとしといてくれへんかな」

「そんなことしたらボケますよ。それで、お願いしていたことは？」

飯島はしかめっ面で酒を一口舐めてから話し始めた。

「総理は一肌脱いでくれるそうや。けど、今のお人はあんまり当てにせんこっちゃな。明日の総理は別の顔になっとるかも知れんしな。知らん顔を決め込んでいた代議士先生連中にも、危機感だけは与えといた。財界の方は曾我部さんが熱心に頭を下げて回ってはるから、政界よりは期待できそうやな」

国を挙げてアカマを守るよう、各界への根回しを飯島に依頼していた。中小零細から大手まで、次の世紀に残すべき企業の支援を目的とする政府機関のニッポン・ルネッサンス機構としても、アカマの存亡は注目せざるをえなかったからだ。それに、飯島がかつて所属していたＵＴＢは、アカマとの関係が深い銀行でもあった。

無論、義侠心だけで飯島が動くはずはない。鷲津は十分すぎるほどの成功報酬を用意しているし、アカマに恩を売って、将来の安心も手に入れておきたいという飯島なりの打算もあるはずだ。鷲津は互いの腹の中については知らん顔を通し、神妙に感謝の意を表した。

「さすが、こういう時には頼りになります」

「アホぬかせ。おだてられて動くほど初心《うぶ》やないで」

飯島がタバコを消した。さっさと話を進めろという合図だった。

「もう一つのお願い事は、いかがですか」

アカマ自動車防衛対策委員会の委員長に就いて欲しいと飯島に打診していた。

まるで鷲津の声が聞こえないように、飯島はモルトウイスキーが入ったグラスを両手で大事そうに包み込んでいた。

それ以上の催促はしなかった。自分のペースでしか事を運ばない飯島を、急かしたところで得る物はない。

「赤いハゲタカから日本を守るためと言えば聞こえはええけど、結局は厄介事やな」

ロックグラスに話しかけるように飯島は低い声を漏らした。

「誰にでもできるわけじゃない。日本の金庫番と言われた飯島さんだからこそやれるんです」

「買いかぶりや。誰がわしのことを日本の金庫番やなんて言うてんねん。耄碌《もうろく》した過去の遺物やで」

グラスを見つめながら、〝過去の遺物〟が自嘲するように口元に皺を寄せた。

「それこそが、あなたの戦術じゃないですか。下品で嫌な上司、要領がいいだけの小者だと油断させて、あなたは相手を手玉に取り、次々と裏切り者を炙《あぶ》り出してきた。その一方で長年、日本の金融界が守り続けてきたパンドラの匣《はこ》の番人として君臨してきたんだ」

飯島は呆れ顔になってかぶりを振った。

「誉めてんのか、くさしとるんか、はっきりせぇ。どうせ何を言うても、おまえさんは自分の思い通りに人を使うんやろ。わしかて天下のアカマ自動車の防衛隊長を務めるのはやぶさかではない。ただ、一つだけ訊かせてくれんか」

グラスをテーブルに戻すと、飯島が座り直した。それまでのとぼけた老人とは別の、謀略家の本性が現れていた。

「目的は、何や？」

「決まってるじゃないですか、日本の大切な資産を守ることです」

「そんな一円の得にもならへんことを、なんでするねん」

鷲津は腕組みをして薄ら笑いで聞き流した。

「何を企んでる？　それを正直に言うんやったら、話次第では乗らせてもらおうやないか」

きれい事だけで老獪な妖怪が動くとは思っていなかった。だが、飯島に腹の内を全てさらけ出すつもりもない。

「狙っているのは、リスクを取らずにアカマをキャッチ&リリースすることですよ」

飯島が眉間に皺を寄せて、睨んできた。

「悪いな、戦中生まれのわしにも分かる日本語で、言うてくれへんかな」

「他人のカネでアカマを手に入れ、すぐに売却して鞘を抜く。こう言えば分かりますか？」

「なんぼ抜く気や？」

「最低でも一兆円」

「すぐとは」

「可能なら二四時間以内に」

飯島は体を後ろに反らすと、芝居がかったように全身で笑い始めた。

「おまえ、とんでもないワルやな。二四時間以内で売り抜けて、一兆円以上の儲けやと」

鷲津は照れ笑いで応えた。

「悪くない仕事でしょ。消費税分ぐらいの謝礼は、飯島さんのスイスの口座に振り込ませてもらいますよ」

「ほな、消費税分もスイス並みで頼むわ」

スイスの消費税は七・六％だ。シラッと条件交渉を始めた飯島を、鷲津は苦笑で退けた。

「飯島さん、地獄でカネは使えませんよ」

「アホやな、おまえ。地獄の沙汰もカネ次第っちゅうやろうが。ほなシンガポール(七％)で手を打とか」

鷺津はにやけたまま右手を差し出した。交渉成立。アカマ買収にとって重要な意味を持つ防衛対策委員長としては、最強のキャスティングだった。

8

アカマ・マーヴェルで福岡空港に到着した大内と古屋は、サムライ・キャピタルの指示により、駐車場で待機していた。黒いスーツ姿の女性が駆けてきて、ドア越しに頭を下げた。大内がパワーウインドウを降ろすと、彼女は名刺を差し出した。

「初めまして、サムライ・キャピタルの前島朱実《あけみ》と申します。まもなく社長が参ります。今しばらくこのままでお待ち願えますか」

小柄ではあったが体格のがっしりとした前島は、「助手席に座ってよろしいですか」と律義に断ってから乗り込んできた。

「マスコミの連中は？」

挨拶もそこそこに大内が訊ねると、前島は助手席から身を乗り出すようにして振り返った。

「鷲津はヘリでアカマに向かうという情報を流していますから、引っかかってくれるでしょう。サムライ・キャピタルの名前でヘリコプターもチャーターしており、ダミーが乗り込みます」

取締役会中止を巡る一騒動の後、渋る古屋を車に押し込むようにして福岡までやって来た。空港で落ち合い、車中で作戦会議をしたいと鷲津が要請したからだ。電光石火で動かねばならぬほど、事態は差し迫っていると彼は言った。

実際、朝からアカマ本社には不穏な空気が漂っていた。各取締役は皆、出社するなり自室に閉じこもり、内線電話で他の役員と連絡を取り合っているらしい。さらに「太一郎が新社長に就任し、一華と手を結ぶのでは」という問い合わせがマスコミから殺到していた。

移動する間も、大内の携帯電話はひっきりなしに鳴り続けた。なにより気になるのは、アカマ株が急騰しているという情報だ。毎朝新聞に「古屋社長　引責辞任へ」とスクープされたにもかかわらず、株価が上昇しているのが解せない。

「一ついいですか」

大内は、重苦しい沈黙を嫌うように前島に訊ねた。

「鷲津さんは、本気で白馬の騎士《ホワイトナイト》になるおつもりなんでしょうか」

「その件については、私には分かりかねます。しかし、お二人を失望させるようなことはしないと思います」

意味深長な言い回しが気になった。古屋はさほど興味がなさそうだった。代わりに個人的な質問を投げかけていた。

「鷲津さんのところは長いんですか」

「前の会社から数えても、まだ四年です」

「四年でヴァイス・プレジデントとは、出世頭だね」

前島は素直な性格らしく、照れていた。

「仕事は楽しいですか」

「とても」

「どういう点が楽しいんだね」

それまで神経質そうに膝を叩いていた古屋は、指の動きを止めて会話に加わった。

「毎日、生きている実感を味わえることでしょうか」

即答する前島に、大内も興味を覚えた。彼女は二人の反応に気づかず続けた。

「そう言うとかっこよく聞こえますが、要は、毎日変化することが刺激的なんです。昨日の常識が通用しなくなったり、不意打ちを食らったり、相手の方が遥かに上手だと打ちのめされたり」

「辛いばかりじゃないのかね。我々には、刺激的とは到底思えないがねえ」

「学生時代アメフトをやっていました。その感覚と似ていますね。ボーッと立っていたら誰かに倒されます。でも、自分で考えて行動すれば活路が開ける。私自身、そういう緊張感が好きなんです」

まだ、三〇歳前後にしか見えない若者に、大内は教えられた気がした。今のアカマに足りないもの——、芝野が伝えようとしていたことも、きっと同じ意味なのだろう。

「素晴らしいねえ。どうすれば君のような社員が生まれるのかなあ。今度ゆっくりと話を聞かせてくれたまえよ」

大内以上に感銘を受けたらしい古屋は、眼を細めて言った。古屋が将来の話を口にしたことが、大内には嬉しかった。今日辞表を出そうという社長の言葉ではないからだ。その時、前島の携帯電話が鳴り、彼女は応対しながら車外に出た。

「良い若者だね。生きている実感を味わえるなんてことを、あっさりと言われると、ドキッとするよ」

古屋が眩しそうに彼女を眺めていた。

「今の日本には、ああいう若者が少なくなった。誰かがなにかをしてくれるのを待つ人間ばかりだ」

「いつの時代も同じですよ。我々の世代にも、どうしようもない輩は大勢います。ただ、これからの時代は彼女のような逞しい若者がもっと必要になるでしょうね。そのためには、彼らが暴れられるフィールドを提供しなければなりません」

大内の本音だった。

「まったくだ。彼女にはぜひ、ウチの若手に話をしてもらいたいね」

古屋はそう言うと手帳を取り出した。思いついたことをこまめにメモする。しばらく見なかった彼の癖が蘇ったのに気づき、大内はさらに安心した。

電話が済んだらしく、前島は勢い良くドアを開けて、再び車に乗り込んできた。

「お待たせしました。まもなく鷲津が参ります。運転手さん、国際線ターミナルの正面につけてもらえますか」

久々に会う鷲津は、全体的に引き締まったように思えた。前後をボディーガードに挟まれた物々しさだったが、大内を認めると親しげに近づいてきた。

「ご無沙汰しております。お呼びたてして申し訳ありません」

ボディーガードが周囲の安全を確かめてから後部ドアを開き、鷲津は車内に滑り込んできた。

入れ換わりに大内は助手席に移り、前島は後続のワンボックスカーに乗り換えた。その車に、金髪の女性が乗り込むのが見えた。鷲津のパートナーであるリン・ハットフォードだと思われた。彼女の存在なくしては、〝ゴールデンイーグル〟は生まれなかったと聞いている。その彼女が同行するのだから、鷲津はいよいよ本気になったと確信した。

「鷲津さん。本当にお会いしたかった」

「大変なご苦労、お察し致します」

後部座席の二人は、狭い車内で窮屈そうに握手を交わしていた。穏やかで感情を抑えた声が、鷲津の思いやりに感じられた。古屋は感無量のようで、鷲津の手をなかなか離そうとしない。

大内はアカマ本社に向かうよう運転手に告げた。二人の間では上海での滞在や、アカマ・マーヴェルの乗り心地など、危機の最中とは思えぬ話題ばかりが続いていた。

九州自動車道に入り、関門海峡を渡り始めたあたりで、話が途切れた。さりげなく後ろの様子を窺うと、鷲津が物思いに耽るように車窓を眺めていた。うっとうしい梅雨空だったため絶景とは言えなかったが、鷲津は感慨深げだった。ようやく関門橋を渡り切った時、鷲津が本題を切り出した。

「会社をお辞めになると決断されたそうですね」

「老兵は、ただ消え去るのみです」

古屋は即答した。

「〝アイ・シャル・リターン〟の意味を込めてですか」

いずれもがGHQ総司令官を務めたダグラス・マッカーサーの言葉だった。しかし、前者と後者では意味が正反対だ。前者は退任の時の言葉であり、そこには失意があった。一方後者の発言は、日本軍の猛攻撃に遭ったフィリピンから脱出する際に漏らしたもので、並々ならぬ闘志が込められていた。

古屋の口から笑い声が漏れた。

「そうありたいですな。だが正直言えば、もう疲れました」

「疲れたから、お辞めになる？」

「そうじゃない。いくら疲れようと、会社が私を必要とするなら闘い続けますよ」

「会社に必要とされなければ、闘わないのですか」

古屋が言葉に詰まり、それまでの和やかなムードは一変した。胸の前で組んでいた大内の両手にも汗が滲んだ。

「古屋さんが闘うのは、そんな封建的な理由なのですか」

「封建的ではないですよ。しかし、私が辞めて開ける活路もある」

「責任転嫁ですね」

さすがに耐えられず、大内は後ろを振り返った。古屋は唇を噛んでいる。声を掛けようとしたが、鷲津に目で止められた。

「私はね、誰かのために闘ったことなんて一度もありません。地球上の動物は全て、自分のために闘うんじゃないですか」

「身を挺する犠牲精神も大切じゃないですか」

古屋が両手を見つめながら独り言のように呟いた。

「カミカゼのようにですか。死ぬことが生きた証になる、という以外に方法がないならおやりなさい。戦争中に死んだ人を非難しているわけじゃない。彼らには選択の余地はなかったでしょうから。でも、あなたは選択できる。いや、経営者としてリーダーとして、正しい選択を迫られているはずだ。あなたが辞めることこそ、経営者としての正しい選択だと信じるのであれば、お引き留めしません。しかし、悪魔と愚者に会社を託すことになると分かっていながら闘いを止めるのは、犯罪だ」

アカマ社員の中で、古屋をそこまで追い詰められる人間は誰もいない。いや、もしかすると故周平翁なら、同じように詰め寄ったかもしれない。

鷲津はさらに踏み込んできた。

「自己犠牲という美名の下で、経営者としての責任を放棄するような人を、私は蔑みます」

古屋が喘ぐように救いを求めているのが、背後の気配で感じ取れた。だがここは口出しすべき時ではないと大内は自戒した。古屋一人が向き合わなければならないハードルなのだ。

しばらく古屋が沈黙していた。大内にも彼の苦しさが伝染し、胸が締めつけられた。たまらずもう一度、後部座席を振り返ろうとした時、古屋の絞り出すような声を聞いた。

「なにをさせようと言うんです。私は自己犠牲のために、会社を辞めようとしているわけじゃない。私には選択の自由があるとあなたはおっしゃった。確かに、一昨日までの私には選択肢があった。だが、今は選択の余地がない」

太一郎と一華から仕掛けられた、脅迫まがいの退陣要求と裏取引について古屋は説明した。

鷲津はじっと古屋の目だけを見つめていた。そして、古屋が「ここまで追い詰められて、一体なにを選択すればいいと言うんです」と口にした瞬間、鼻で笑い飛ばした。

「簡単な話です。あなたの信念を貫けばいい。愛するアカマ自動車を守るため、アカマのユーザーや従業員の未来を守るために闘うことがご自分の使命だと思うなら、迷うことはないじゃないですか」

古屋は大きな葛藤の中で、もがいている。大内には、彼の内心が手に取るように分かった。

「これ以上アカマをおとしめろと言うんですか」

「そうじゃありませんよ、古屋さん。弱みというのは隠そうとするから生まれるんです。堂々と赤間太一郎を糾弾し、東京支社長を告発し、賀一華を排除すればいい」

「そうはいかない事情がある」

赤間周作の写真を指しているのだろう。だが鷲津は眉一つ動かさなかった。

「そんな写真になんの効果があるんです。既に彼は死んだ人だ。しかも、プライベートについては、会社の責任ではないはずだ。ばらまくというのであれば好きにさせればいい。その写真が週刊誌に出ても、アカマ株にはなんの影響もない」

「しかし、私は創業者一族をおとしめることになる」

古屋はもどかしそうに、握りしめた拳で太ももを叩いた。

「アカマが守るべきものはなんです。創業者ですか。創業者が従業員と共に、血の滲む思いをして築き上げた魂じゃないんですか」

大内は思わず後ろを振り返った。

鷲津の目が変わっていた。猛禽類のような鋭い光が宿っていた。

「古屋さんがアカマ魂を発揮して、ここで踏み止まってくださるのなら、私は中国をあなたに差し上げますよ」

9

山口・赤間

赤間太一郎は、故・周平翁の部屋にいた。午後三時を回り、ついに雨が降り出していた。

年代物のイタリア製の椅子に悠然と座ってパイプをくわえる彼を見て、大内は激しい憤りを覚えた。神聖な場所を穢《けが》されたような気分だった。

「急に伯父のことが懐かしくなってね。勝手に入らせてもらいましたよ」

太一郎が手にしているパイプは周平が愛用していたダンヒルだと気づいて、さらに怒りがたぎった。

「少しお話があるのですが、よろしいでしょうか？」

「なんなりと」

既に社長気取りで、太一郎は顎をしゃくった。

「なんだか怖い顔をしているねえ、大内さん」

「もともと厳つい顔なんですよ」

「そうだったな。入社した時、あなたが教育係にならないようにと祈ったもんです」

俺がなっていたら、あんたももう少しましな経営者になれたものを。

今でも時折会社に顔を出し、経営にすら意見する太一郎の母親が元凶だった。当時、大内で決まっていた太一郎の教育係について、「厳しい教育係は息子の気質に馴染まない」と土壇場で異議を唱えたのだ。その結果、太一郎にゴマを擂《す》り続けている腰巾着に交代した。

あの時から、こういう運命だったんだ。彼への引導役をまかされるという奇縁を思うと、肩から力が抜けた。最後ぐらい冷静にやろうじゃないか。悪いのはこの優男じゃない。彼の中に流れる血が重すぎただけだ。

「社長になれたら、僕はこの部屋を使おうと思うんだ」

太一郎が急に可哀想になった。物心ついた時からアカマイズムを背負わされ、創業者一族として常に注目されながら生きなければならない人生。大内には耐えられそうになかった。今まで考えたこともなかった彼の境遇を慮《おもんぱか》った時に、大内は自分の役目に嫌気がさした。

「聞いていると思うけれど、まもなく会社は、大きな世代交代を迎える。でもね大内さん、あなたには今後もアカマを、いや僕を支えて欲しいと思っているんですよ」

あまりに意外な言葉に、大内は目を見開いてしまった。

「びっくりでしょう。僕はね、こう見えても人を見る眼はあるんですよ。あなたは、これからのアカマになくてはならない人だ。まだ内密だけれど、専務として迎えたい」

太一郎は、自身の言葉に酔っているようだった。太一郎に対する同情が霧消した大内は、意を決して一歩踏み出した。

「副社長にお願い事があります」

「僕でやれることなら、なんでもやるよ」

太一郎は鷹揚に頷いた。

「大変申し上げにくいのですが、なにもおっしゃらず、この場で辞表をお書きください」

太一郎の反応は鈍かった。意味が分からなかったようだ。少しの間を置いてから、

「今、なにを言った？」と太一郎は呟いた。

次の瞬間、ドンという鈍い音が響いた。机の天板を叩き割るのではないかと思うほど強く、太一郎の拳が打ち付けられた。怒りの表現にもバリエーションのない男だった。

「辞めるのは古屋さんの方でしょう。彼もその気になっている。社長室長の君なら承知のはずだろう」

「古屋社長にお辞めいただくわけにはいきません」

太一郎は見下したような笑みを浮かべた。

「つまらない義侠心ですか。まあ、〝アカマの内蔵助〟だもんな。でもね、既に話はついているんだよ」

「あなたには、もはやボードにいる資格がありません」

副社長は椅子を反転させた。彼は大内に背を向け、〝人間万事塞翁が馬〟という周平の揮毫と向き合う格好になった。人生は吉凶・禍福が予測できないという淮南子の教えが皮肉だった。

「資格がないのは君の方じゃないのかい。僕は賀一華というパートナーと共に新しいアカマ自動車の未来を築くんだ」

太一郎は揮毫に向かって話しかけていた。

「会社の秘密をネタに、社長を脅してですか」

「言葉に気をつけて欲しいもんだな」

「敵対的と判定した相手のトップに情報を漏らしただけではなく、会社を売り渡す工作に加担した行為は、取締役の善管注意義務違反や忠実義務違反に問われます」

椅子が再度反転し、副社長が憎悪をたぎらせて大内を睨んだ。

「上等だ。やれるもんなら、おやりなさい。古屋やあんたの言うことになんて誰も従わない」

やはり、多数派工作を行っていたのか。

今朝、取締役会があれば、古屋の社長解任動議は可決されていたに違いない。脇の下が汗ばむのを感じながら、大内は上着の内ポケットから数枚の文書を取り出して、デスクの上で開いた。

「取締役全員の署名があります。アカマ・アメリカの粉飾決算を行った特別背任の疑いであなたを告訴することに関する同意書です」

告訴状は、保阪が顧問弁護士と相談して文書化していた。大内が指示したわけではない。一つ間違えば職を失いかねない独断だったが、大内は感謝していた。

「社内調査の結果、十分告発に足るという結論に達しました。その上、賀一華と共謀して社長を脅迫し、アカマを一華に譲るように迫っている。これも背任行為ですよ。恥をお知りなさい」

ついに我慢の限界が来たようで、太一郎が立ち上がった。

「調子に乗るのもほどほどにしろよ。いいかね、古屋が辞めなければ、社として恥ずべき情報が世間に公表されてしまうんだ。だからこそ、僕は断腸の思いで一華の提案を受け入れたんだぞ。僕がアカマの危機を救ったんだ」

御曹司の非常識ぶりに、大内は吐き気を覚えた。怒鳴りそうになるのをかろうじてこらえて、上着のポケットからフラッシュメモリを取り出した。

「ご記憶かと存じますが、社内の内部統制強化のため、役員室からおかけになる電話は全て録音されています。これは、あなたと賀一華との電話の内容が録音されたデータのコピーです。お聞きになりますか」

これも保阪の調査で分かったものだ。目の前の男は、今後のプランについて副社長室で堂々と一華に相談していた。けさ一番には、「もうすぐ全てが決着する」とはしゃぐ声も録音されていた。

太一郎の顔が真っ赤になった。威勢は消え失せ、にわかにうろたえ始めた。

「我々は脅迫に屈しません。佐伯常務も、本日中に東京地検特捜部に告発します。また、インドネシアで撮られたとおぼしき怪しげな写真については黙殺します。社員のプライベートにまで責任を持つ必要はありません」

太一郎は意味をなさない言葉を呟いていた。やがて、自分の置かれている立場を理解したらしく、彼は崩れ落ちるように、周平の椅子にへたり込んだ。

「せめて最後ぐらい、創業者一族の代表として毅然とされたらいかがです」

突然太一郎は髪をかきむしり、首を左右に振った。

「なぜだ。なぜ、どいつもこいつも僕をそんなに嫌うんだ。なぜ周平伯父にするように僕の前に跪《ひざまず》かない、なぜだ！」

「太一郎さん、あなたは勘違いされている。周平さんは、社員を跪かせたことなんてありませんよ。常に社員と同じ目線で、一緒に汗を流しておられました。車を愛し、アカマを愛した。誰かに愛されたいなら、あなたご自身が、まず相手を愛するべきじゃなかったんですか」

遂に引導を渡した。後味の悪い思いを胸に、大内は部屋を出た。

10

「本日午後、アカマ自動車は臨時取締役会を開き、弊社常務取締役東京支社長佐伯鶴《つる》男《お》を、贈賄容疑で、東京地検特捜部に告発致しました」

四〇〇人近い記者がひしめく大会議室で、古屋が切り出した。直後に、一〇人以上の記者が会見場を飛び出した。直《ただ》ちに第一報を社に入れるためだ。

会見者テーブルには、古屋と会長の曾我部が着席していた。ただし、二人分の空席があった。

「詳細につきましては、これからお配りするリリースをお読みください」

文書が配布された途端、多くの記者が、文書を握りしめて部屋をあとにした。ペンを片手に内容を吟味していた彼らが、不満の声を上げた。凄まじい混乱ぶりに、大内はたじろいだ。

「贈賄容疑ってあっさり言いますけどね、贈賄相手の氏名については、なぜ明記されないんです」

文書は非常にシンプルだった。佐伯を告発したという以外、具体的な容疑事実等については一切触れていない。

「地検特捜部と相談の上です。容疑事実についても、地検の捜査が終わるまで弊社からの発表は控えさせていただきます」

「そんなバカな話が通ると思ってるんですか！」

怒号が飛び交った。想定内の反応ではあったが、記者が一斉に怒る迫力に、大内は怯みそうになった。

「お怒りはごもっともです。しかし現在、地検が捜査中で、それを妨げないための配慮だとお考えください」

古屋も表情を強ばらせていたが、口調は乱れなかった。

「責任放棄じゃないんですか」

「そういうお叱りも覚悟しております。しかし我々としては、一刻も早く告発すべきだと判断した次第で、本日の会見になりました」

容赦ない記者の質問にも、古屋は神妙に答えた。佐伯が連日地検に呼ばれていることをすでに把握しているメディアもいた。古屋はこの日朝一番で、東京から佐伯を呼び戻した。

調子の良さが身上の東京支社長もさすがに観念したようで、贈賄の事実を認めた。事情聴取に同席した大内はその憔悴ぶりに驚いたが、許すわけにはいかなかった。佐伯の行動に、大手柄を目論んだ打算があったのは間違いない。

「社として告発するというのは、トカゲの尻尾切りじゃないんでしょうか」

そう言われて当然ではあった。古屋は眉間に皺を寄せて、発言した記者を見つめていた。

「事件の全貌が判明した際に、私自身も責任を取らせていただく所存です」

波動のような興奮が会場を覆った。古屋を責め立てるようにストロボが炸裂する中、別の記者がさらに詰め寄った。

「それは、お辞めになるということですか」

「今のところは何も申し上げられません。ご存じのように、弊社は今、危急存亡の秋《とき》です。ここで社の舵取りを放棄することこそ、責任放棄だと考えていますので」

さらに質問が浴びせられた。大内はいたたまれず目を閉じた。会場の怒号に広報室長の千葉が水を差した。

「大変恐れいりますが皆様、東京地検特捜部よりの発表を待って、改めて具体的なお話をさせてください」

千葉は強引に話を先に進めた。

「現在、弊社を対象に行われているＴＯＢについて、古屋より重要なお知らせがございます」

記者の興奮が一瞬で鎮まった。会見場全体を見渡してから、古屋が説明を始めた。

「弊社特別委員会が敵対的買収者とみなした百華集団《バイファグループ》からの買収防衛のため、本日防衛対策委員会を発足しました」

佐伯の件に比べると、拍子抜けするほど小さな反応だった。時刻は午後六時半を回っていた。毎朝新聞社の第二のスクープから始まったこの日は、まさに怒濤の一日だった。これから発表されるニュースは、おそらく世界中を駆け巡るだろう。その自覚をアカマ幹部は心に刻んでおかなければならない。

古屋が続けた。

「この防衛対策委員会は、弊社の買収防衛策の妥当性を審議し判断する第三者機関です。委員長には、ニッポン・ルネッサンス機構の飯島亮介総裁が就任します」

会場がまたざわついた。古屋はその波が収まるのを待って、飯島のプロフィールを紹介した。そして最後に、防衛対策委員会の代表を政府機関のトップに委ねる理由を添えた。

「アカマ自動車買収という重大事に対応するため、より公平性の高い人物として政府に飯島総裁をご推薦いただきました」

「しかし、飯島さんは元ＵＴＢの頭取じゃないですか。完全中立とは言えないのでは？」

喧嘩腰のような記者の質問を、古屋はいなした。

「ご指摘の通り、ＵＴＢは弊社のメインバンクではあります。しかし資本関係はなく、さらに双方に利害関係はほとんどありません。その上、飯島総裁は機構総裁就任にあたり、同行の役職を全て辞しておられます」

じっと聞いているのが我慢できないように、記者が立ち上がった。

「御社は方針を変更して、百華集団との間で友好的提携の準備を進めているという情報もあります。防衛対策委員会が立ち上がったということは、彼らのＴＯＢを敵対的と判断した当初の方針が、変わっていないと理解していいんですね」

毎朝新聞の記者だった。執拗なスクープの報復として出入り禁止にせよという声もあったが、逆になにを書かれるか分からないという判断から、出席を認めたのだ。

「百華集団と友好的提携を結ぶ予定はございません。当初の見解の延長線上に、防衛対策委員会が発足したとお考えください」


別の記者からも質問が出たが、古屋は聞き流して話を先に進めた。

「それでは、飯島総裁をお迎えしたいと思います」

小柄な飯島が下手から現れた。すさまじいストロボの閃光を浴びた飯島は、薄笑いを浮かべて一礼した。

「只今ご指名にあずかりました飯島です。アカマ自動車に対する買収提案について、同社の防衛策が妥当かどうかを判断する防衛対策委員会の委員長という重要な職責を拝命しました。ことは一刻を争います。早速残り四人の人選を迅速に行い、疎漏《そろう》なく務めたいと思っております」

「利益相反にはならないんでしょうか？」

挨拶が終わるのを待ちかねたように、質問が飛んだ。

「なぜ、利益相反になるんです？」

飯島は普段の下品な関西弁などおくびにも出さず、訛のない標準語で訊ね返した。

「ルネッサンス機構は第二再生機構と呼ばれ、来世紀まで残さなければならない企業の支援を行っています。アカマも来世紀まで残って欲しい企業だと思いますが、いつアカマが、破綻懸念先になったんです」

大きな笑いが起こった。飯島も笑っていた。飯島の指名については何人かの役員が異論を唱えたが、古屋が押し通した。会見の様子を見ながら、人選は正しかったと大内は感じていた。

「私が知る限り、アカマと我々は直接ご縁はないと考えております」

飯島が紳士的な笑顔で答えた。

「具体的にはどういう策に出られるのですか」

飯島に目くばせされて、古屋がマイクを手にした。

「本日の取締役会で決定したことですが、弊社は投資ファンドのサムライ・キャピタルに白馬の騎士《ホワイトナイト》を依頼しました」

一瞬、会見場が真空地帯になったように大内は感じた。そして、次の瞬間、それまでの何倍もの衝撃が会場を貫いた。

今、我々は、ルビコン川を渡った。大内は腹に力を入れて覚悟を決めた。

11

会見場のどよめきは、控え室にいる鷲津にも届いていた。いつの間にかリンが鷲津の手を握りしめていた。

「覚悟はいい？」

「Jacta alea est《ヤクタ・アーレア・エストゥ》」

賽は投げられた。わざとラテン語で答えた。

「上等よ」

リンもラテン語で返した時、控え室のドアがノックされた。保阪という社長室次長が顔を出して、会見場に向かう時刻だと告げた。

リンが鷲津を強く抱きしめた。修羅場になればなるほど、彼女は輝く。

「ワクワクするわね、政彦。鬼が出るか、蛇が出るか」

「出てくるのは、龍の親玉だろ」

保阪に先導されて廊下を歩きながら、鷲津は精神を集中した。ハゲタカだの神鷲《いぬわし》だのと呼ばれてはいても、どちらかと言えば気配を殺して闇に潜み、獲物を一撃で仕留める方が性に合っている。それは彼のビジネス戦略の基本の一つだ。常に目立たず、相手が自分の存在を意識した時には、既に勝負はついている。そうあるべきだと心懸けているのに、年々歳々日の当たる場所、スポットライトの中心に引きずり出され、晒し者になっている。

ハンターであるべき自分が、マスコミや世間というハイエナどもの餌食になるのは、我慢ならなかった。

「会見は、順調ですか」

「何を以て順調と呼ぶかですが、社長は健闘していると思います。少なくとも会見をリードしています」

振り返りもせずに、保阪は答えた。

「それは、素晴らしい」

鷲津の褒め言葉で、彼はおもむろに顔を向けた。

「次は鷲津さんの番です。どうぞよろしくお願いいたします」

フラッシュの放列にやられないよう目を伏せ気味にしたが、さほどの効果はなかった。雛壇に立った途端、目くらましのような光の攻撃で、鷲津は気分が悪くなった。

会場にいる全員が固唾を呑んで鷲津を見ていた。不気味なほど静かだった。

「改めてご紹介します。サムライ・キャピタル社長の鷲津政彦さんです」

記者の多さにうんざりしながらも、鷲津はあいさつを始めた。

「ご紹介にあずかりました、鷲津です。古屋社長よりご案内の通り、本日弊社は、アカマ自動車の白馬の騎士《ホワイトナイト》として名乗りを上げさせていただきました」

会見場の反応は鈍かった。どうやら鷲津が長広舌《ちょうこうぜつ》をふるうのを期待しているようだった。手にしていたマイクをテーブルに置くと、数人の記者が先を競うように手を挙げた。

「白馬の騎士《ホワイトナイト》を選定するためには、取締役会の承認だけではなく、特別委員会の承認も必要とアカマ自動車の買収防衛策にありますが」

古屋が思い出したようにマイクに向かった。

「失礼しました。特別委員会から全員一致で、承認をいただいております」

「飯島総裁が就任された、防衛対策委員会の承認はよろしいんでしょうか」

飯島は肩をすくめるだけだったので、古屋が答えた。

「必要ありません。防衛対策委員会の役割は、より具体的な防衛策についての判断です」

「鷲津氏は昨年のジャパン・ジャーナル社へのＴＯＢの際、裁判所から濫用的買収者と判断されましたが、そういう人物を白馬の騎士《ホワイトナイト》にされることに懸念はないのでしょうか」

鷲津はにこやかに聞きながら、質問者の顔を要注意人物として記憶に刻んでいた。

その合間に、古屋があしらうように即答していた。

「不安があれば、お願いしていません」

「鷲津さん、具体的にはなにをされるんですか？」

女性記者に問われて、鷲津はマイクを再び手にした。

「簡単に言えば、百華集団による三分の一超のＴＯＢを阻止します」

「そのための手だては？」

「株を買い集める」

小さな笑い声の波紋が起きた。女性記者も笑った一人だったが、引き下がらなかった。

「いかほど買われるんですか」

「買えるだけというのが正直なところですが、ひとまずは二〇％超を考えています。百華集団によるＴＯＢ提案直後から、アカマ自動車は株主に呼びかけ、アカマ現経営陣への支援グループを集めておられます。既に金庫株を含め、株式の比率として三三

％を超えていると聞いています。我々が二〇％を押さえれば、経営権については安泰です」

「では、サムライ・キャピタルも、ＴＯＢをおかけになる？」

女性記者はなかなか引き下がらなかった。他の記者たちも二人のやりとりに集中している。

「ＴＯＢは三分の一以上の買い付けの場合ですから、現在は考えていません。ただ、市場の株価が、百華集団よりも下回るような場合には考えます」

「先ほど、目的は百華のＴＯＢ阻止だとおっしゃいましたよね。彼らの目標値は三分の一超です。御社とアカマを足して五三％の株式取得では、彼らにＴＯＢ成功の余地を残すことになりませんか」

至極当然の疑問だった。

「ですから買えるだけと申し上げたんです。ＴＯＢ前の百華集団の株式比率は七％足らずでした。一時期は三〇％に迫る勢いでしたが、現在は市場価格がＴＯＢ価格を上回っていますから、実際に彼らに売る株主は皆無でしょう。その上、買収防衛策として他の株主に対して新株予約権を発行しています。この件はまだ係争中ですが、百華側の訴えが却下されれば、彼らの保有比率は三％余りに下がりますから、十分だと思います」

「白馬の騎士《ホワイトナイト》に名乗り出られた理由は、なんですか」

鷲津は会見場の隅々まで眺め渡した。そして、噛んで含めるようにゆっくりと答えた。

「私が日本人だからです。アカマは日本人の心であり誇りです。そのアカマが、評判の悪い投資家に狙われてしまった。こんな暴挙を見過ごすわけにはいきません」

12

盗聴防止を確認したとサムが太鼓判を押したS室と呼ばれる社長室会議室に入って、鷲津はようやく落ち着いた。得体の知れぬ敵というのは大きなストレスだった。相手の見えない闘いは消耗戦だと、改めて自覚していた。

会見後、アカマ自動車側は本社内にある迎賓館での食事会を予定していた。だが、鷲津は一刻も早く戦略を経営陣に説明したいと申し出、急遽ミーティングとなった。

会議室には中央に楕円形のテーブルがあり、それを囲むように関係者が席に着いた。サンドイッチとコーヒーが用意されていた。古屋が来訪を感謝する言葉を手短に述べ、コーヒーで乾杯した。鷲津も一口、カフェインを体に取り込んでから本題に入った。

「古屋社長の勇気のお陰で、百華集団はTOBを取り下げるはずです。ただし、それで油断してはいけません。本当の買収劇はこれから始まります」

「やはりCICが乗り出してくると?」

一部マスコミで取り沙汰されていた可能性を、大内が口にした。

「間違いありません。一華は最初から当て馬です」

鷲津はそう答えながら目の前に並べられたサンドイッチに目を向けた途端、気分が悪くなった。どうやら今日のイベントは、相当体に応えたようだ。だが、この後も、やるべきことは山積みだった。弱った体力に活を入れるために、鷲津は敢えて一切れ摘んだ。

「君の絶対的な自信の根拠はなんだね?」

曙電機の買収交渉以来の再会となった加地が訊ねてきた。

サンドイッチを味わいもせず、無理矢理コーヒーで流し込んでから答えた。

「詳しくは申し上げられませんが、当事者から直接聞いたと思ってくだされば結構です」

それまで一仕事やり終えた充足感を見せていた古屋や大内の顔が曇った。加地は表情を変えずに質問を続けた。

「ならばなぜ最初から、ＣＩＣは名乗り出なかったんだ？」

「アカマの防衛策を探るためです」

加地は苦い顔で首を振った。隣にいた大内は驚きのあまり硬直していた。

「アカマ自動車ほどの世界企業になれば、外敵に対してはあらゆる防衛策を用意していると敵も思っています。その防衛策を見切った上で、どう切り崩すかが勝敗を分ける。それで一華を使って、アカマの出方を観察したかったのでしょう」

「いやな相手だなあ」

大内が愛想が尽きたようにぼやいた。

「『三国志』の国ですから、権謀術数はお家芸みたいなもんです。彼らは、できるだけ傍若無人に攻めよと、一華に指示したんだと思います」

「もう一つ、あなたを引っ張り出したかったというのはないですか」

アカマ側の出席者の中でただ一人、会見中も冷静だった保阪が、鋭い質問をぶつけてきた。

「私はそんなに立派じゃないですよ」

「彼らが舞台に登場するタイミングは、いつだと思われますか」

そう訊ねてきた古屋は、意外に落ち着いていた。会見場の異様な熱気の中で、アカマ総帥としての威厳を貫き通す姿に感心していた鷲津は、改めて彼の胆の太さに驚いていた。

「すぐにでも攻めて来るかもしれません。あるいは、しばらく息を潜めて様子を窺うかもしれません。我々としては一刻も早く万全の態勢を整えたい。やってもムダだと彼らに思わせられたら大成功です」

「先手必勝ということですな」

場を和ませるためだろう、大内が明るく応えた。

「その通りなんですが、CIC相手にTOBをまともにやり合えば、勝ち目はありません」

現状の深刻さを理解してもらうために、鷲津はわざと悲観的な見通しを述べた。

「国家ファンドだからですか」

保阪の問いは間違ってはいなかったが、的確ではなかった。

「CICだからです」

微妙な訂正の意味を正しく理解した者はいないようだった。鷲津はその説明をFA

の石岡に委ねた。

「CICの怖さは、経済的合理性を無視した投資を行う点にあります。通常のファンドであれば買収に際して世界中から資金を調達するのが一般的です。投資家の目的はハイリターンではありますが、そこにも自ずとルールがあります。たとえば買収額には、時価総額に将来の期待値を加味した上での限界値が常に存在します。要するに、欲しいからと言って、湯水のように資金を使えるわけではありません」

ひとまずここまでは、全員が理解しているようだった。

「ところが、CICにはそんなルールがありません。たとえば、御社の時価総額は二〇兆円ほどです。私たちの査定では、二五兆円まではなんとか出せます。しかし、確実に手に入るなら三〇兆円でも五〇兆円でも、CICは惜しみません」

アカマ側の人間がいっせいに息を呑んだ。

「極論を言えばCICの使命は、中国が保有するドルを無駄遣いすることです。なぜなら、下手に大きな利益を上げれば、外貨準備高を増やしてしまうからです。そんなことが続けば、世界中から人民元切り上げの圧力が高まります。それを避けるためには、利益を出してはいけないんです。どうせ捨てるカネなら有効に使え。そういう恐ろしいミッションを、CICは課せられているんです」

どこの世界に、有効に無駄遣いをせよというビジネスがあるのか。本来、努力して利益を上げてこそビジネスだ。古屋も大内も、やりきれないという面持ちになっていた。

「まあ、損して得取れの巨大版だと思ってください。だからこそ彼らは、アメリカのファンドや経営難に陥りかけた投資銀行に投資しているんです。アメリカのブラックストーンに対するＣＩＣの投資が、株価下落で損失を出したと騒いだメディアがありましたが、それは正しい認識ではありません。相手に負い目を感じさせることで、その見返りにブラックストーンの金融技術や蓄積されてきた経験則を手に入れるのが容易になる」

市場に国家が介入してはならない、市場は神の見えざる手によって運営されるべきだと二〇〇年以上前に説いたアダム・スミスの危惧が、今頃になって、極東の国で具現化してしまったわけだ。

「そんな無茶をしてまでアカマを狙う理由はなんですか」

謹厳実直なアカママンの典型である大内には理解できないのだろう。

「彼らは、アカマ自動車という企業を狙っているわけではありません。欲しいのは、アカマの技術であり、製造のノウハウです。中国が急務だと考えている国際競争力を持つ中国独自のブランドを創り上げるためです」

　そう言ってもまだ、大内にはピンとこないようだった。

「技術やノウハウなら合弁会社を通じて提供していますよ」

「確かに。アカマだけでなく、世界中の自動車メーカーが、中国に進出して合弁会社を設立しています。中国の街を走る車の大半は外車です。しかし、彼らが求めているのは、オリジナルの中国ブランドカーなんです。本来は、技術者の情熱を注ぎ込んだ研究開発を経て初めて生まれるブランドを、彼らは買収という荒っぽいやり方で手に入れようとしているのです」

　中国政府は、自動車産業だけでなく製造業の各分野で、自国のオリジナルブランド構築に熱心だ。だが、外国の一流企業と合弁で会社を設立すれば、努力をしなくても、高い技術による製品を売り出せる。この甘い汁がある限り、中国のオリジナルブランドはなかなか実現しない。ならば他国の優れた企業を買って、看板だけをかけ替えれば早いと彼らは考えたのだ。

「つまり、長年の経験や時間を、カネで買おうとしているというんですか」

　話題が金融から実業に変わったせいだろう。大内にも、ようやく分かりかけたらしい。

「その通りです。だからこそCICという国家ファンドがカネに糸目をつけずに御社を手に入れようとしているんです」

ただの企業買収とは異なる事情であると知って、アカマ経営陣の表情はさらに沈んだ。彼らに代わって加地が訊ねた。

「アメリカには今、支援先を欲している巨大メーカーが二つもある。向こうの方がお買い得じゃないのかね」

「中国の自動車需要にアメリカ車は、必ずしもそぐわないという点が大きいでしょうね。燃費を気にしないアメリカ車のビジネスモデルは、既に古いという見解もあるでしょう」

石岡の説明だけでは不十分だと思い、鷲津は付け加えた。

「アメリカの自動車産業とは、アメリカの精神的支柱です。そんなものを、カネにあかせて買いに行ったら、大きな政治問題になる。それも懸念しているでしょうね」

中国は過去に、アメリカの石油精製会社ユノカルを買収しようとしたことがある。あと一歩で契約成立という段になって、米政府が介入し、彼らの努力は水泡に帰した。しかも、それが原因で米中関係にもヒビが入った。その二の舞になるのを中国政府は恐れている。

「理解はできますが、ウチを買っても、政治問題の懸念は変わらないはずでは」

大内の鼻息は荒かった。

「それだけ日本政府が、なめられているんです」

アカマ経営陣にやりきれない虚無感が漂った。賀一華が挑発を始めた時点で、日本政府はもっと積極的に動くべきだったのだ。そうすれば、こんな大騒ぎにはならなかった。無分別に政治が経済に介入するのは迷惑だが、国益を守るという使命を忘れて、自国の看板産業を守らない政府には、鷲津も怒りを覚えた。

石岡が話を戻した。

「TOBで勝負をした場合、我々に勝ち目がないもう一つの理由があります。CICが中国の国家ファンドだということです。彼らが乗り出してきたら、今度は日本政府も表立った支援はしにくくなるでしょう。悲しいかな、政府に中国とことを構えるだけの覚悟はありませんから。もっとも、いくら高値を付けられても、株主連合の結束があれば負けることはないと思っていらっしゃるかもしれませんが、それも怪しいものです」

古屋が何か言いたげに顔を上げたが、唇を結んだまま続きを待った。

「株主連合の大半は、中国となんらかの関係を持つ企業が多い。工場や支店を置くだけの規模から、国家プロジェクトに参画しているような企業もある。これらの企業は、中国政府の影がちらつき始めると浮き足立ちます」

「しかし、そんな露骨なプレッシャーをかけてきたら戦争になりますよ」

大内の意見は正しい。だが、正しいだけでは世界は回らない。大内の正論にリンが反応したのを見てにやつきながら、鷲津は理解を示した。

「露骨にやればね。しかし、真綿で首を絞めるようなやり方も、彼らは得意ですよ。資本主義経済が進んだとはいえ、中国は政府が絶対的権力を持った共産主義国家なんです。いくらでも目に見えない圧力はかけられます」

実際は、そんな圧力すら必要ないはずだった。どこか一社を血祭りに上げれば、他社は勝手に自粛する。目に見えない恐怖とはそういうものだ。

「買収交渉というのは、単に攻めるだけではダメです。その前に後顧の憂いは全部解決する。彼らはそれを着々と進めています。我々としても、勝負するフィールド選びから慎重にならざるを得ません」

「それで、具体的にはどういう戦略をお考えなんですか」

保阪が話を先に進めてくれると、石岡はおもむろに咳払いをしてから答えた。

「クラウン・ジュエルです」

13

大内は、話についていくので精一杯だった。乗用車づくりに情熱のすべてを注いできた元技術者の彼にとって、エイリアンと対話している気分になるほど難解な話だった。それでもなんとか概要を飲み込めたのは、この数ヵ月、にわか勉強で企業買収と防衛策について学習したお陰だった。

ＦＡの石岡が、クラウン・ジュエルの解説を始めていた。

「クラウン・ジュエルというのは、買収対象企業を王冠にたとえ、王冠《クラウン》の宝石《ジュエル》を外して第三者に譲渡することで、王冠を無価値化するという意味から来ています。別名、焦土化作戦などと呼ばれる場合もあります」

Ｍ＆Ａ用語には、スリーピング・ビューティやベア・ハッグなど、童話の世界のような言い回しが多い。しかし、言葉の響きからは想像できない厳しい事態を指す場合もある。「焦土化作戦」と呼んでくれる方が、こちらの覚悟もつくというものだった。

「通常、会社の全事業または重要な事業の譲渡には、株主総会の特別決議が必要です。しかし、重要な財産の処分は、取締役会の決議だけで済みます。この場合の財産ですが、会社法では技術も人も事業ではなく財産であるとみなしています。ただ、議決した取締役には、善管注意義務や忠実義務の違反が問われる場合もあります」

たとえ会社を守る行為であっても、クラウン・ジュエルを行使したことで下落する株価の責任を経営陣は取らされるわけだ。

「法的な問題は、青田弁護士から改めてご説明します。私はスキームの説明を致します」

石岡はノートパソコンを開くと、皆に見えるように置いた。パワーポイントの図表が表示されていた。

「まず御社と連結関係にある子会社二社を、連結から切り離した別会社にします。その際、株は市場で売却するのではなく、両社の経営陣にMBO、すなわちマネージメント・バイアウトを実行してもらいます。そして買収を仕掛けられたら、アカマの技術や人材を二社に転籍させるのです」

MBOとは、会社の経営陣が資金を集めて、オーナーとなる買収方法だった。石岡が画面に示した二社の企業名を見て、大内は声を上げた。

「東亜オートとアカマ・ディーゼルですと」

東亜オートは、アカマの軽自動車部門が独立した軽自動車専門メーカーだった。一時期は連結関係のないグループ企業だったのだが、一〇年前、アジア戦略強化のために、五五％の株をアカマが取得して子会社化していた。

もう一社のアカマ・ディーゼルは、主にトラックのエンジン開発を行っている一〇〇％子会社で、現在は、次世代のクリーンディーゼルエンジンの開発も手がけている。

「ＭＢＯの際に必要な資金は、サムライ・キャピタルで手配します。無論、両社の経営陣が独力で集められるというのであれば、それでも結構です。ただ、両社にはＭＢＯと同時に、上場を廃止してもらう必要があります。なぜなら、両社がクラウン・ジュエルの受け皿になるためです」

「東亜オートとアカマ・ディーゼルを選んだ理由は」

腕組みをしてやりとりを聞いていた加地が訊ねた。

「深い意味はありません。どうせならクラウン・ジュエルの受け皿として妥当な企業がいいというのが、一番の理由です。また、今後の防衛のためにも、両社を非公開化しておくべきです」

気配りが行き届いている。大内はいたく感心したが、加地はまだ納得できないようだった。

「受け皿のためだけに、二社もＭＢＯするのは、なぜだね」

石岡は、至極ごもっともとでも言うように何度か頷いてから答えた。

「一言で言うと、安全のためです。アカマが持っている技術と技術者を分散しておけば、いずれか一社を買収しただけでは、アカマにはなれないというわけです」

「もう一つ。御社の宝石を一社に集めてしまうと、受け皿会社が謀反を起こして、アカマの意向を無視する可能性もあります。その防止策でもある」

鷲津の補足説明に、加地は「いかにも君らしい配慮だな」と笑い声を上げた。だが大内は、誰も信じないという鷲津の冷徹さを見た気がした。

石岡がパソコンの画面を変えた。

「クラウン・ジュエルは防衛策です。したがってＣＩＣが攻撃を仕掛けてきた際に発動すれば、それだけで十分です。我々としては、このプランを提示することで、買収は無駄と相手に諦めさせられればと思っています。ただ、こちらの本気度を示すためにも、ＭＢＯの準備には一刻も早く取りかかって欲しいと思っています」

パソコンの画面上には、ＣＩＣがアカマを攻める図が示されていた。二社は非上場企業のため、ＣＩＣは両社を買収できず、渋々引き上げるという流れが大内にも理解できた。

「ＣＩＣが買収を諦めると判断する根拠はなんだね」

加地の厳しい問いに、石岡が困ったように口をすぼめた。鷲津が説明を代わった。

「諦めはしないでしょう」

馬鹿にされているのかと一瞬思ったが、そうあっさり言われると怒る気も起きず、大内は黙っていた。

「ここまで大がかりに準備したのです。闘わずして撤退はあり得ないでしょう。ただ、カネにあかした闘いではなく、戦術をトップ交渉に変えてくるはずです」

「ならば、最初から買収などという荒っぽい手ではなく、そう言ってくればいい」

説明の意図が分からず、大内は愚痴をこぼした。

「確かに。しかし、いきなり中国側からアカマの核心的技術や研究者を提供しろと詰め寄られて、アカマ自動車は応じますか」

大内が答えられる問いではなかった。

古屋は、手にしていたボールペンをしばらく見つめていた。やがて、彼はそのままの姿勢で独り言のように言った。

「正直言えば、無理な話ですね。無論、日本政府も交えて、交渉のテーブルには着くでしょう。しかし、アカマのライバルを作る手伝いはできません」

社長としての模範解答だった。大内ももちろん同感だ。だがCICは酔狂ではなく、深謀遠慮で襲いかかってきたのだということも、初めて実感した。彼らが求めていたのは、アカマの絶対的服従だったのだ。企業の買収合戦の綾と難しさを痛感し、大内は虚しくなった。

鷲津は改まった口調で、アカマの総帥に質した。

「では、彼らが買収を仕掛けてアカマを追い詰めたとしたら、どうです。しかも、国も財界も守ってくれない状況になったら」

おそらく古屋は、この会議の間中ずっとそのことを考えていたのではないだろうか。専門的な部分については、部下やプロの意見を尊重しながら、決断すべき方向を考える。それが社長の仕事だと、大内に話したことがあった。

――よく言えば、企業の総帥なんだろうが、結局は孤独な舵取り役に過ぎない。そして失敗した時の責任をすべて負うための存在でもある。

その古屋が、考えあぐねていた。鷲津たちも黙って答えを待つつもりらしい。

観念したように、古屋が答えをしぼり出した。

「交渉に本気にならざるを得ないね」

「賢明な判断だと思います。そして、叶うならできるだけ早い段階で、その決断をしていただくことが望ましい。長期戦、消耗戦に持ち込まれたら、我々は不利になる」

「じゃあ、今すぐやりますか」

冗談とも本気とも取れる口調で、古屋が危険な発言を投げた。大内は慌てて睨んだが、古屋はとぼけ顔を浮かべるだけだった。

鷲津は、なぜか楽しそうだった。

「なるほど、それは大胆な作戦だ。しかしそれでは、闘わずして相手に城を明け渡すことになります。彼らはそれを弱腰とみるでしょう。交渉のテーブルでも、嵩《かさ》にかかって攻めてきますよ」

「つまり、タイミングが大事だということかね」

「その通りです。それは、私が適宜アドバイスします。ただし、早く覚悟していただく方が、交渉を有利に運べます」

古屋は納得したようだった。問題は、ＣＩＣがどういう要求を出してくるかだった。

「一つお訊ねしていいでしょうか」

保阪が小さく手を挙げて口を開いた。

「ＣＩＣの目的は世界に通用するチャイナブランドの構築だと、鷲津さんはおっしゃいました。すなわち彼らが求めているのは、オリジナルですよね。アカマを買って世界展開しても、目的は達せられないのでは」

鷲津は冷ややかな視線をぶつけたが、保阪は全く動じる様子がなかった。

「おそらくは国内の独立系の自動車メーカーにアカマを吸収させるつもりでしょう」

大内は、いくつかの中国系の有力企業を頭に浮かべた。保阪は躊躇なく、さらに一歩踏み込んだ。

「具体的にはどこだという目星は、つけてらっしゃるんですか」

どうやら、サムライ・キャピタルのスタッフも見当がつかないようで、興味津々で鷲津を見ていた。

「颯爽汽車、安徽省のメーカーです。数年前から〝88《ラッキーエイト》〟という小型車を自社開発し、二万元カーとして中国の都心部で大ヒットさせたんです」

ラッキーエイトについては、大内も覚えがあった。確か、中国国内の独立系自動車メーカーの期待の星として注目されていた。

「だから、東亜オートをMBOするんですね」

二人のやりとりを聞いて、大内にもやっと理解できた。颯爽汽車の主力車は、いわゆる軽自動車だ。彼らは喉から手が出るほど東亜オートの技術が欲しいだろう。さらに、温暖化対策に追われる中国政府は、クリーンディーゼルエンジンの開発に重大な関心を持っているらしい。それで、受け皿のもう一社をアカマ・ディーゼルにしたのだろう。

「颯爽汽車は、修理工場を営んでいた人物が創業した民間企業です。しかし、政府は陰になり日向になり同社を支援しています。既にアカマ・ディーゼルの買収にも興味を示しているようです」

一体どうやって、魔界のようなあの国からそんな情報を取ってくるんだろう。貧相な男を眺めながら、大内は彼を味方に引き入れられた僥倖に感謝した。

鷲津が、話を続けていた。

「念には念を入れておこうと思いまして、颯爽汽車を手中に収める手はずも整えています。業界では、パックマン・ディフェンス、あるいは逆買収と呼ばれている手です」

保阪や加地のみならず、サムライ・キャピタルの面々までもが驚いていた。

「日本人投資家が、中国自動車メーカーを買えるのかね」

加地が指摘すると、鷲津はあしらうように答えた。

「加地さん、私が買う必要はない。中国人の仲間に買ってもらえば、一〇〇％子会社だって夢じゃない」

たとえ味方であっても、お近づきにはなりたくない男だ。あの手この手で障害をすり抜けていく鷲津のしたたかさに、大内は恐れを感じた。

14

緻密にセーフティネットを張りめぐらせた鷲津の計画に圧倒されたのか、全員が黙り込んでしまった。それを潮に鷲津が引き上げようとした時、古屋が口を開いた。

「そう言えば、鷲津さん。あなたは、すぐにでも一華を駆逐できるという前提でお話しされているが、その根拠はなんです」

鷲津は敢えて言わなかったのだが、訊ねられた以上は答えざるを得ない。

「失礼しました。実は、市場から一華を追放できそうな情報があるんです」

情報源が中国財政部の幹部・喬慶であることは伏せるつもりだった。アカマ経営陣に不信感を植えつけたくなかった。石岡に合図すると、彼は出席者全員に英文の文書を配付しながら説明を始めた。

「これはアメリカ連邦捜査局、いわゆるＦＢＩの国際手配書です。彼らは、ニューヨーク、シカゴ、サンフランシスコなどでマネーロンダリングを行っていた香港系投資家・劉鳳《リュウフェン》を追っています」

手配書には、粒子の粗い隠し撮り写真が添付されていた。

「劉鳳こそが賀一華だと、香港警察本部が確認しました」

「しかし、彼は太子党の御曹司だったという話じゃあ」

大内が呻くように反論した。

「太子党だってごろごろいます。その上、賀はアメリカで指名手配されている。米中関係を考えると、必要以上に賀をかくまいはしないでしょう」

「しかし、この劉鳳という人物が、賀一華であるという証拠があるんですか」

保阪が現実的な質問をした。それには鷲津が直に答えた。

「まもなく中国政府が、賀一華を拘束するはずです」

よほど驚いたらしく、大内が「えっ」と小さく叫んだ。アカマへの刺客として放ち、用済みになったら、犯罪者としてアメリカ政府に突き出すというのは、彼の神経では考えられないだろう。

「大内さん、一寸先は闇です。むしろ一華に負い目があったから、政府の命令を受け入れるしかなかったのだと思います」

リンが見事な日本語で説明した。

15

ミーティングの途中で抜け出てきた鷲津とリンは、アカマ自動車が敷地内に持つ迎賓館に向かっていた。そこがサムライ・キャピタルの拠点となっており、鷲津らの宿泊施設でもあった。

迎賓館までの移動に、古屋が同行した。鷲津は固辞したのだが、古屋は譲らなかった。

マスコミの張り番がひしめく正面玄関を避けて、業者の搬入口から出た鷲津は、前後にボディーガードがいるのも忘れて、ゆっくりと歩き始めた。霧雨が降っていたが、それも気にならなかった。

「こんな目まぐるしい一日は、初めてです」

二人を案内する古屋が、ため息まじりにこぼした。

「私もです。最初から飛ばしすぎました」

「あなたには朝飯前のように見えましたが」

鷲津は乾いた笑い声をあげた。

「そう見せる努力は必要ですから」

「買収は心理戦ですな。いかにも余裕があるように見せながら、細部にまで神経を張り巡らせる。私のような大ざっぱな人間には、到底務まりそうにない」

古屋の声に安堵感が滲んでいた。白馬の騎士《ホワイトナイト》とはいえ、隙あらば会社を奪いかねない買収者に対して見せる隙ではなかった。

「鷲津さん、一つ訊いてもいいだろうか」

「なんなりと」

「以前、ＦＡをお願いした時は、あれほど固辞されたのに、どうしてここまでしてくれるのか。私には解せないんだ」

さりげなく繰り出された質問で、古屋のしたたかさを知った。

「白馬の騎士《ホワイトナイト》としてならお手伝いできると、以前も申し上げたかと思いますが」

「あなたの仕事は、企業を買収し高く売り抜けることだ。義侠心や正義感でいらっしゃったわけではありますまい」

「おっしゃる通り。私は資本主義の原理で生きている。しっかり稼がせてもらいますよ」

「賀一華が派手に値をつり上げてくれたおかげで、ウチの株価は天井ですよ。こんな時期に買い集めて、儲けになるんですか」

「すぐに売るつもりはありません。それに、ＭＢＯ資金やアドバイザリー料もバカにはなりませんよ」

傘を打つ雨音が大きくなった気がした。

「数億程度のアドバイザリー料では、割に合わない仕事だ。我々が知らないところで、他にも仕掛けを用意しているんでしょうな」

空気が動いたかと思うと、古屋が数歩離れていた。灯りが届かず、彼は闇夜に溶け込んだ。

「まあ、そこから先は伺いますまい。ただ叶うことなら、我々が敵同士で相まみえることがないように願いたいもんです」

「それは、私も同様です。でもね、古屋さん、この商売に敵味方なんてないですよ。あるのはカネを手にする者と、失う者だけです」

古屋の黒いシルエットが、にやりと笑ったように見えた。

「カネを失うことよりも、プライドを失う方が怖い。誇りこそ、わが人生のエネルギーだし、アカマ自動車の原動力です。ここで失礼します」

「肝に銘じておきます」

黒いシルエットが背を向けた。そのまま立ち去って行く古屋を、鷲津はしばらく見つめていた。

「大したタヌキ親父ね、彼は」

リンが感心したように嘯いた。

「全くだ。今まで会った日本人の経営者で、あんな人は初めてだ。伊達にアカマを背負っているわけじゃなさそうだな」

「実業の強さよ。私たち虚業の世界の住人には理解できない揺るぎない信念がある」

それを誇りと呼ぶのだろう。

「政彦、一華から接触がありました」

彼らを追いかけてきたサムの声で、鷲津は思考を切り換えた。

サムが近づくなり、一華からの申し出を伝えた。

「TOBを引っ込める。テレビには出ない。だが、あなたには会いたいそうです」

16

午後一一時からのプライムニュースで、鷲津は堂本と共に生出演する予定だ。鷲津を乗せたハイヤーが赤間市内の特設スタジオに向けて動き出す直前に、有無を言わさず一華は乗り込んで来た。マーヴェルのルームライトに照らされた賀一華は、すっかり憔悴していた。オフホワイトの麻のジャケットまでくすんで見える。

「どうした。闘かわずして撤退とは、みかけ倒しもいいとこだな」

鷲津は冷たく吐き捨てた。力なくドアにもたれかかっていた一華には、卑屈な笑みが浮かんでいた。

「あんたに侮辱されるいわれはない。名誉ある撤退だ」

「貴様の口から名誉などという言葉が飛び出してくるとは、お笑いだな」

「僕はずっと誇り高く生きてきた。だからこそ、ここで勇気ある撤退をするんだ」

粘着質な負け犬の臭いが、声に漂っている。相変わらず威勢は良かったが、一華の眼は落ち着きなく動き、心中の不安を語っていた。

「なら、なぜ堂々と撤退表明しない。テレビという晴れ舞台まで用意してやったのに」

「あんたの晴れ舞台だろ、僕には関係ない」

強がりだけは健在のようだった。しばらく一華は、にやついたまま鷲津を眺めていた。どこまでも相手を不快にさせる天才だ。

「なあ、鷲津さん、あんた勝った気でいるんだろうが、それは甘い」

哀れな男だ。この自信家は、自分がどこに立っているかも分かっていないらしい。

「そうか。だが、俺は勝ち負けを気にしない」

「警告したよね、鷲津さん。僕のアカマ取りの邪魔をすると、酷い目に遭うって」

鷲津の脳裏に一つの懸念が浮かんだ。

「あんたは、押してはならないスイッチを押してしまった。踏んではならない虎や龍の尻尾もたくさん踏んだ。そのツケを、これから払うことになる」

だからどうした。鷲津は膝の上に見つけた糸くずを、一華の代わりであるかのようにつまみ落とした。

「鷲津さん、強がりはやめようよ。あんただって気づいているはずだ。美麗の失踪、僕の背後で見え隠れする将グループの存在、あんたにへばりつく王烈の影。あんたが今日、愚行を犯したことでそれらが一勢に動き出す。その怖さは半端じゃないよ」

一華の指が鷲津の襟元を撫でた。華奢な指が頬まで上ってきたところで、鷲津は彼の手首を摑んだ。

「それぐらいで十分だ。それより一華。悪いことは言わない。株を預けるなら、おまえを守ってやる」

一華がひきつるような笑い声を上げた。助手席で微動だにしなかったサムが身を乗り出し、長い腕で一華をドアの方まで押し戻した。

「賀さん、お行儀良くしてください。さもないと車から叩き出します」

サムが警告しても、一華は態度を改める気はなさそうだった。

「おまえ、消されるぞ」

「アランのようにかい」

「小僧、調子に乗るのも、いい加減にしろ」

サムは、凄みを効かせて言い放った。一華はまたヒステリックに笑った。車中に響くその声は、鷲津の感情を逆撫でした。

「あんたに助けてもらうつもりはないよ。僕は逃げ切るさ。逃げられないのは、あんたの方だ」

「好きにしろ」

一瞬でも哀れと思ったのを後悔しながら、一華を突き放すことに決めた。一華の華奢な指が、再び鷲津の襟元を這った。

「今ならギリギリ間に合うぜ。ここでさっさと店じまいすることだ。そうすれば、あんたは素晴らしい余生を過ごせる」

「悪いな、一華。俺に余生は必要ない。生きる意味がなくなれば、すぐにでもこの世とおさらばするよ」

一華は大袈裟に肩をすくめたかと思うと、いきなり運転手の肩を叩いた。

「ここで止めろ」

車が路肩に停車した。この先に駅がある。

「グッドラック、ミスター鷲津。あんたがのたうち回るのを見られないのが、残念だよ」

そう捨て台詞を吐いた一華は車のドアを開けると、一度も振り向かず闇に消えた。

第三章　絶体絶命

1

二〇〇八年六月一八日　福岡空港

福岡空港の到着ロビーにいた慶齢は、テレビに映る鷲津に気づいた。

「鍾さん、あれ」

さっきからずっと携帯電話に向かって話し続けていた鍾論も、中断してテレビに目をやった。

エンジントラブルの影響で、中国東方航空五三一便は一時間半以上遅れ、福岡に到着したのは午後一一時前だった。

とんでもない旅行だった。午後一番に、反町に呼ばれるなり、日本行きを命ぜられた。

「鍾さんと一緒に、福岡に飛んでくれ」

出張そのものは問題がなかった。入所時に、「急な海外出張にもすぐに対応できるように」と釘を刺されていたので、二泊分の用意を詰め込んだスーツケースをオフィスに常備していた。ただ、進行中の提案書などが山とあり、事務所を離れられるような状況になかった。

反町はいつにもまして険しい表情で、「最優先だ、シャーリー。君が持っている案件は全て、私が引き受ける」と命令した。取る物も取り敢えず、上海浦東《プードン》国際空港に急いだ。

そして、慶齢は日本出張の目的も行き先も分からないまま福岡空港に降り立ってしまったのだった。

「なんて言ってるんだい」

鍾に訊ねられ、慶齢はテレビに近づいた。

〝白馬の騎士《ホワイトナイト》という柄ではないのですが、とにかくアカマを守りたいという一心から、いてもたってもいられなくて手を挙げたんです〟

「よく言うよ、予定通りの行動の癖に」

慶齢の通訳を聞いた鍾が鼻で笑った。

〝賀一華氏は、今夕から行方が分からなくなっているという情報がありますが〟

女性キャスターの問いに、慶齢は驚いた。鍾は「ファック！」と英語で悪態をついた。

〝賀一華氏に対してFBIがマネーロンダリングの容疑を掛けているという情報があります。それが事実なら、今回のTOBは不成功に終わる気がしますね〟

彼は食い入るようにテレビ画面を睨み付けて、慶齢に通訳を急かした。

〝さて、鷲津さん。ちょっと失礼な質問ではあるのですが、アカマ自動車へのTOBを百華集団が取り下げたとしたら、白馬の騎士《ホワイトナイト》を降りることになるんでしょうか〟

〝買収劇の最中で、まず回避すべきは勝手な思いこみです。現実問題としては、百華集団はTOB中止を表明していません。これから何が起きるか、予断を許さない状況だと私は考えています〟

「その通りだ、ミスター・ゴールデンイーグル。闘いはこれからだよ」

鍾の声の調子が変わったのに驚いた慶齢は、彼の横顔を覗き込んだ。さっきまでの鍾とはまるで別人だった。慶齢はたまらなく不安になった。

「ミスター鍾論ですか」

いきなり低い抑制された英語で声を掛けられた。鍾も硬質の声で返した。

「そうだが」

「お待たせしました。コロンビア・キャピタルのジョン・リーと申します」

2

山口・赤間

急ごしらえの特設スタジオは落ち着かなかったが、鷲津は終始朗らかな表情でインタビューに応じていた。

「鷲津さん、敢えてお伺いしますが、アカマ経営陣との防衛策についての話し合いはすでに始まっているのでしょうか」

鷲津は一呼吸置いてから答えた。

「万全の態勢で臨むという点で一致しています」

そう答えた直後、ヘッドセットに手を当てたディレクターが表情を強張らせたのが視界に入った。すかさずADが一枚の原稿を羽室冴子に差し出した。同時に、ディレクターの指示が、彼女のイヤホンに飛んだらしい。それまで冷静だった冴子までもが、驚いた様子で鷲津に目を向けた。

「番組の途中ですが、今、ニューヨークからとんでもないニュースが入ってきました」

どんな事態でも驚かないように、鷲津は腹に力を入れた。

「ウォールストリート・ジャーナルの電子版によりますと、アメリカ最大のレバレッジ・ファンドであるKKL、ケネス・クラリス・リバプールが、アカマ自動車に対して買収提案を行う模様だということです。鷲津さん、この展開を、どう思われますか」

鷲津の頭脳が凄まじい勢いで回転し始めた。新しい情報の分析、KKLの思惑《おもわく》、そしてCICとの関連性……。反射的に、一華が残した捨て台詞が蘇ってきた。

――グッドラック、ミスター鷲津。あんたが、のたうち回るのを見られないのが、残念だよ。

「鷲津さん？」

呼びかけられて、鷲津はようやく我に返った。

「失礼しました。予想もしない話で、驚いています。事実関係を把握するまではコメントを控えたいと思います」

首筋に汗が滲んでいた。

一体、なにが起きているのだ。なぜ、ＫＫＬが出てくるんだ。

「堂本さんは、どう見られますか」

生放送を滞らせるわけにはいかない冴子は、堂本征人に振った。

「事実だとしたら、アメリカのビッグスリーが経営難に陥っていることと関連しているのかもしれません。危機を抜け出すためのウルトラC的な買収という可能性は、あるんじゃないでしょうか」

プリマス社、フォックス自動車という社名が、鷲津の頭の中でスパークしていた。ＫＫＬが、その両社を買収するというのなら分かる。だが、ビッグスリーを救うために、健全な日本の自動車メーカーに食指を動かすということがあり得るのだろうか。

自問自答を繰り返している間にも番組は進み、鷲津の出演時間は終わった。鷲津は放心状態で席を立った。

「鷲津さん、大丈夫ですか」

ＣＭの合間に、冴子が心配そうに声を掛けてきた。

「ご心配なく。この世界、一寸先は闇です」

「それにしてもKKLとは、驚きましたね」

堂本も近づいてきて、会話に加わった。

「これはCICの奇策かもしれんな」

鷲津も同じことを考えていた。アルバート・クラリスは、アメリカでレバレッジド・バイアウトを確立した伝説的な買収者《オリジネーター》だ。そして、鷲津の師匠でもあった。だが、彼はとっくに一線を退いている。

「クラリス御大自身が出張ってくるのかどうかは分からない。だが、君をあっさり諦めたことを考えると、それなりの人間が指揮を執っているのは間違いないんじゃないか」

CICとKKLが手を結んだというのであれば、とんでもない事態だ。なにが起きるのか、鷲津にも想像できない。

鷲津は空元気を出して二人に一礼すると、特設スタジオを後にした。正面玄関はマスコミが待ちかまえているため、ホテルの支配人の案内で厨房を抜ける手筈になっていた。支配人の後ろを歩いていると、前島が携帯電話を差し出しながら近づいてきた。

「アル小父さんだと言っています」

アル小父さんが誰のことかは、前島にも分かっているようで顔が引きつっている。深夜の厨房は閑散としていた。込み入った話をするには都合がいい。先導する支配人を呼び止めてから、鷲津は電話に出た。

「ヘーイ、マサ。久しぶりだね。元気かね」

「おかげさまで。アルこそ、お元気ですか」

「寄る年波には勝てないが、なんとかやってる」

なんとかやっているような男の声とは思えないほど、エネルギーが漲っていた。

鷲津は思わず笑い声を上げた。

「なんだ、余裕じゃないか。青天の霹靂《へきれき》で、さぞや泡を食ってると思ったのにな」

「あなたから挨拶の電話をもらえるなんて光栄ですから。やっぱり長生きするもんですね」

「お互い手の内は分かっている。アホな闘いで世間を喜ばせるのは、バカげている。早々に会って、話をつけてしまわないか」

「それは助かります。赤間市はいいところですよ。車で一時間も走れば、いい温泉もある」

「ニッポンくんだりまで出かけるエネルギーはもうないよ。君がケープコッドの屋敷に来てくれ」

いきなり買収工作を仕掛けた上に、相手を呼びつけるとはいい度胸をしている。

「それはちょっと筋違いでは。アカマ自動車に買収提案をするんでしょう。ならば、あなたが赤間までやって来て、アカマ経営陣に挨拶をするべきでしょう」

呻きとも唸りともつかぬ声が漏れ聞こえた。

「相変わらず固いことを言うんだな。現地での対応は、ホライズン・キャピタルに任せている」

鷲津の脳裏に、アランの死後トップに就いたピーターの神経質そうな顔が浮かんだ。

「よろしいんですか、ピーターなどに、こんなメガディールを任せて」

「ピーターじゃない。今はナオミ・トミナガという日系アメリカ人がトップだ。早くも鷲津二世などと言われている才女だ」

二世と呼ばれて喜んでいる程度なら、敵ではない。二世が一世を超えたことはない。

「久々にあなたに会えると思ったのに、残念です」

「そう言わず、ぜひ来たまえ。一緒にカジキでも釣りながら、自動車メーカーの世界地図の線引き遊びと洒落込もうじゃないか」

汗が頬を伝った。前島が食い入るような目を向けている。

「生憎、船酔いするんです。それに魚は白身と決めてますんで」

「待ってるよ、じゃあ健闘を祈る」

「一つ訊ねていいですか」

話を切り上げかけたアルに、鷲津は無駄を承知で訊いた。

「昔から政治とは距離を置いていたあなたが、宗旨替えですか。しかも、よりによって赤いドルを使うなんて」

今度ははっきりと呻き声が聞こえてきた。

「教えなかったか。カネに色はない。ドルに白も黒も、赤もないんだ」

語るに落ちたと思った。

「私も同感です。しかし、政治の臭いのするカネだけは、反吐が出るんですよ。じゃあ、アル。お元気で。ジャッキーにもよろしく」

三番目の妻の名を言い添えて、鷲津は電話を切った。

無性に腹が立った。なぜだ。なぜ、このディールにアルが出てくるんだ。怒りのあまり携帯電話を投げつけようとしたが、それが前島の物だと思い出してやめた。

「挨拶の電話ですか」

前島の声が震えていた。

「俺を呼びつけやがった」

前島に電話を返すと、自分の携帯電話の電源を入れた。振り返ると、サムが面目なさそうに立っていた。

「迂闊でした。申し訳ない。前門の龍にばかり気を取られていて、後門の獅子に気づきませんでした」

開口一番謝るサムを見て、まさに奇策だとCICを少し見直していた。

「見事にアルと王烈に出し抜かれたな」

「やはり、王烈ですか」

「まだ確証はない。赤いカネに頼るなんてどういうつもりだと、アルを非難したが否定しなかった」

「今、全力で調べています。明け方までにはアウトラインをお出しします」

サムのプライドもズタズタだろう。鷲津は、彼の背中を叩いて慰めた。

「相手は、俺たちが浮き足立っていると見て攻めてくるはずだ。だから、ここは冷静に臨もう」

「鷲津さん、急いでください。マスコミが大騒ぎしています」

前島の忠告を受けた一行は小走りで移動を再開し、業者の搬入口の前に横付けされていたワンボックスカーに乗り込むと、マスコミに気づかれないようホテルを脱出した。

雨が激しくなっていた。鷲津は窓一面に伝う幾条《いくすじ》もの雨滴を見つめながら、胸の内にわだかまっていた疑問をサムに告げた。

「アルは大のアジア嫌いだ。共産主義はもっと嫌いだ。なのに、なぜＣＩＣなんかと手を組んだんだ」

「ＣＩＣと手を組んだという裏付けはありませんよ、政彦。早合点は身を滅ぼします」

サムの言うとおりだった。だが、ＫＫＬの買収提案がＣＩＣと無関係だとしたら、アカマに明日はない。両者が手を組んでくれた方が、まだマシだ。

鷲津は心を落ち着かせようと目を閉じた。

3

Ｓ室でプライムニュースを見ていたアカマ経営陣は、ＫＫＬ参戦の事実に驚愕していた。テレビに映る鷲津までもが動揺しているのを見て、大内は絶望的な気分になった。

俺たちの敵は、中国国家ファンドじゃなかったのか。

すぐに携帯電話が鳴った。発信者は、広報室長だった。電話の向こうで泡を食っているだろう千葉を思いやって、大内は明るく電話に出た。

「おお、早いなあ。テレビを見てたか」

「あんな話、聞いてませんよ！」

千葉の声は悲鳴に近かった。

「俺もだ。ミスター・ハゲタカもご存じなかったと思うぞ」

「どう対処すれば」

「決まってるだろ。黙殺しろ」

その時、内線電話で話をしていた保阪が、手を振って合図した。

「社長宛に国際電話です。ＫＫＬのアルバート・クラリス会長からです」

大内は千葉との話を切り上げると、保阪のそばに駆け寄った。

「俺が出る」

「いや、私が出るよ。電話をテーブルの方まで、引っ張れるか」

古屋は全く落ち着いていた。普段と同じ調子で言うと、肩の強張りをほぐすように首を左右に傾けた。保阪は会話を録音するように交換手に指示した。さらに、念のために通話録音用のテープレコーダーを電話機本体に取り付けた。

「社長、スピーカーフォンで話してください」

瞬く間に準備万端整えた保阪が、古屋に受話器を渡した。

「大変お待たせしました。アカマ自動車の代表取締役社長、古屋です」

「ＫＫＬのクラリスです。日本時間だと、もうすぐ午前零時ですね。ただ一刻も早くお伝えしたくてお電話しました」

スピーカーから聞こえてくるバリトンは優しげだった。英語は、大内にはほとんど理解できなかった。保阪がすぐに訳してくれた。どうやらクラリスは丁寧に深夜の電話を詫びているらしい。

「どういうご用件でしょうか」

「御社を真のグローバル企業に進化させるため、株を買わせていただくことにした。そのご挨拶ですよ」

やけに遠回しな言い方をする、と大内は感じた。世界最大の買収ファンドのトップという雰囲気がない。

「これは、弊社を買収なさるためのいわゆる挨拶の電話ですか」

古屋が核心を衝くと、相手は豪放な笑い声を上げた。

「まあ、簡単に言えばそうなりますかな。ただ、誤解しないでいただきたいのですが、我々は現経営陣の手腕を高く評価しております。したがって株は買わせていただきますが、経営についてはこのまま皆さんにお任せしたい」

眉間に皺を寄せてスピーカーフォンに集中していた加地が訊ねた。

「ミスター・クラリス、アカマのFAを務める加地俊和《としかず》と言います。買収の目的はなんです」

「投資です。アカマ自動車の株価は、業績に比べて割安すぎます。現在の二倍で取得しても、さらに倍になる。我々はそう見ています」

大半の買収者は「投資目的」を標榜して、会社を乗っ取る。クラリスもその口に違いないと大内は確信した。

加地は苦笑いを浮かべて質問を続けた。

「経営権奪取は、お考えになっていないのですね」

「具体的な話については、弊社の日本法人であるホライズン・キャピタルがご説明に上がります。ただ、中国人投資家への対応は、まずかったですね。あのような投資家を上手に排除するためにはプロの力が必要です。では皆さん、ごきげんよう」

電話は一方的に切られた。

重苦しさと脱力感が入り混ざって、古屋ですら言葉を失っていた。その雰囲気を破りたくて、大内は口を開いた。

「加地さん、今の電話をどう理解すればいいんです」

「何通りにもとれますな。世界最強と言われていたアカマ自動車が、一華のような小僧に振り回されているのを見て、食指を動かした可能性はある。しかし、少なくとも我々がモニタリングを始めて以降、米系の投資家が株を大きく買った形跡はない。となると、大株主から株を譲り受けて、さらなる上積みを狙う」

「つまり一華がＫＫＬに株を売ったと」

保阪の指摘は、考えたくもない悪夢に思えた。加地の顔つきが険しくなった。

「ＣＩＣがＫＫＬに買収を依頼したと考えるのが、妥当でしょうな」

「なんてこった」

思わずぼやいた大内は、天を仰いだ。これじゃあ、事態はさらに悪い。

「ＫＫＬというと、鷲津さんがかつて所属していたところだね」

全員がほとんどパニックになっている中、古屋はいち早く気持ちを切り換えたらしい。

「そうです。世界最大のレバレッジ・ファンド。世界中から買収資金を集めて企業を買収するファンドの最高峰です。鷲津君は日本代表を長く務めた後、突然解任されました」

「鷲津さんが白馬の騎士《ホワイトナイト》に名乗り出たから、手を挙げたということはないんでしょうかねえ」

ならば話はもっと複雑になる。考えたくもなかったが、大内は訊かずにはいられなかった。

「それはないと思いますよ。いずれにしても、鷲津君もまもなく戻ってくるでしょう。彼の意見を聞いて判断すべきでしょうね」

午前零時を回った。古屋の体調を気遣った大内は、ひとまず切り上げることにした。

「今晩はなにも分からないと思います。ひとまず、我々で事情を聞いておきますので、社長はもうお休みください」

「気遣いは嬉しいが、こんな状態では眠れやしない。もう少しここにいるよ」

心労が溜まっているはずなのに、古屋は朗らかに応えた。それがかえって痛々しい。

不安を煽るように再び内線電話が鳴った。保阪が受話器を取り、二、三言相手と話した後、送話口に手を当てて古屋を見た。

「鷲津さんが、打ち合わせのお時間をいただきたいとおっしゃっています」

「助かりますと伝えてください。場所は、ここでやるしかないんだろうね」

盗聴の可能性を考えると、ここが一番安全だ。この難局を打破する秘策を彼が授けてくれるようにと、大内は心から祈った。

4　福岡

自分がどういう状況に置かれているのかを、慶齢は必死で考えていた。

ジョン・リーと名乗る爬虫類のような目をした男は、福岡空港から三〇分ほど車を走らせると、海の見えるホテルに二人を連れ込んだ。鍾は赤間市に向かっていると思い込んでいたらしく、ホテルの車寄せに入った時に激しく抗議した。

「なぜ、こんなところに来る必要がある。僕は、赤間に行かなければならないんだ」

リーはいきなり鍾の腕を掴むと、車から引きずり降ろした。慶齢が悲鳴を上げたのを見て、リーの表情がわずかに動いた。

「失礼しました、お嬢さん。心配ご無用です。我々のお願いを聞いてくだされば、手荒なことは致しませんので」

そんなことを言われても、信用できるわけがない。慶齢は急いで車を降りた。彼らの到着を待っていたらしい二人の男の一方が、地面に転がった鍾を無理矢理立ち上がらせた。

鍾は男の手を振りほどくと、リーに悪態をついた。

「あんた、こんなことをしてただで済むと思うなよ。ボスがこんな無礼を許すはずはないんだからな」

リーは慶齢にだけ会釈すると、鍾を無視してエントランスに向かった。

なおもリーに追いすがろうとした鍾は、二人の男に両脇を挟まれ、引きずられるようにホテル館内に入っていった。慶齢は怯えながら、彼らの後を追った。最上階に着くまで、鍾は悪態を続けた。だが誰一人反応せず、彼は荷物のような扱いで部屋に放り込まれた。慶齢は恐怖で震えが止まらなかった。

招き入れられた部屋は、スイートルームらしかった。ビジネス誌などで見たことのある大富豪が、リビングルームで二人を待っていた。

「謝慶齢さんですね、遠路遥々《はるばる》ご苦労さまでした。コロンビア・キャピタルの将英龍です。ずっとお会いしたかったんですよ」

英龍は立ち上がると、隣の席を勧めてくれた。ようやく解放された鍾が、慌てて香港の大富豪に右手を差し出した。

「ヘイ、サニー。ご無沙汰です」

サニーと呼ばれた英龍は、鍾の存在を全く無視して、慶齢にだけ話しかけた。

「空の旅は、快適でしたか」

「ええ、おかげさまで」

状況が理解できなかったが、ひとまず話を合わせようと、慶齢は両の拳を固く握りしめて、体の震えをおさえた。

「夕食がまだでしょう、向こうの部屋に用意しています。ぜひ召し上がってください」

メディアから受ける印象はもっと厳しいのに、目の前にいる将は紳士的だった。それがかえって無気味だった。

「ねえ、サニー。なぜ、僕を無視するんだ」

英龍は、それを聞き流し慶齢に話しかけた。

「慶齢さん、いやシャーリーと呼んでいいですか。私のことはサニーと呼んでください」

慶齢はとっさに頷いていた。

「では、シャーリー、隣の部屋に用意した食事を召し上がっていてください。私はこの愚か者と話をしてから参ります」

リーがエスコートしようとしたのを、慶齢は断った。

「あの、将さん。何が何だか分からないんですが、できれば鍾さんとのお話に、同席させてください」

「いや、あなたにお聞かせするような話ではありません」

慶齢は引き下がらなかった。

「私は、鍾さんの顧問弁護士です。彼とお話をされるのであれば、立ち会う義務があります」

英龍は額を小さく叩くと、急に笑い出した。

「これは失礼しました。確かにあなたは、この愚か者の顧問弁護士だ。では鍾論、手短に話そう」

鍾はしばし戸惑った様子だったが、発言を許されたと理解したらしく、早口でまくし立てた。

「話も何も、僕はこのリーという男に、大変な侮辱を受けた」

なおも続けようとすると、英龍が右手を挙げた。あのプライドの高い鍾が途端に黙ったのを見て、慶齢は驚いた。一体、この二人はどんな関係なのだ。

「なぜ、君はここにいるのかね」

鍾は呆気にとられていた。

「なぜって、あんたの部下が、無理矢理僕らを連れてきたんじゃないか」

「私の質問の仕方が悪かったようだね。大至急、安徽省の颯爽汽車本社に戻るように言いつけたはずだ。なのに、なぜ日本にいるのかとお訊ねしているのだ」

どうやら英龍は、颯爽汽車と関わりがあるらしい。

「それは……。慶齢を無事に送り届けようと思いまして。それに、僕は赤間に行くべきだと思ったものですから」

英龍が指で、テーブルをコツコツと叩き始めた。

「いつからおまえは、私の命令を無視できるほど偉くなったんです」

「無視したわけではありません。私としては、事態の急転を知って的確な判断をしただけで」

侮蔑するように鼻で笑った英龍は、鍾の鼻先に人差し指を突きつけた。

「おまえに求められているのは絶対的服従であって、的確な判断じゃない。これだから、アメリカ帰りのエセＭＢＡはダメなんだ」

「エセじゃありませんよ。僕はちゃんとＭＩＴで」

英龍がボディーガードに小さく合図した。次の瞬間、鍾が張り飛ばされていた。慶齢は小さく悲鳴を上げたが、すぐに口をつぐんで恐怖に耐えた。

「口答えをするな、鍾論。私の命令に従うと約束したんじゃなかったのか」

殴られた頬を手でさすりながら、鍾が涙目でうなだれた。

「申し訳ありません。出過ぎた真似でした」

「そうだ、出過ぎた真似だよ、鍾論。それが分かったなら、これから空港に戻って、一刻も早く合肥《ハーフェイ》に戻るんだ」

鍾の目が救いを求めていた。事態をほとんど理解できないまま、慶齢は常識的な助言で鍾をかばおうとした。

「あの将さん。今日はもう便がないのでは」

「私のプライベートジェットが福岡空港に駐機しているんです。それを彼に貸しますよ。無論、費用はすべて自腹だがね、鍾」

鍾は必死で笑おうとしているようだった。だが、顔が引きつり、結果的には泣き顔になった。

「ずっとあなたの指示通りにやってきたじゃないですか。こうして慶齢だって連れてきたんだ。なんでこんな目にあわなきゃならないんです」

「君は、何一つ私の指示を遂行していない。何一つだ。もっと真剣に自動車産業を学べと言ったのに、上海やマカオで遊び呆けるばかり。そして、いよいよ案件が佳境を迎える段になって、今度はスタンドプレイを連発だ。一体、何を考えているんだ。いいか、鍾。一二時間以内に本社に戻って、自分の席に着け。そして私の買収提案を承認するんだ。それが無理なら、今すぐ転職先を探すことだ」

それだけ言うと、英龍は立ち上がり、慶齢をエスコートした。

「さあ、シャーリー。向こうで食事にしよう」

「あの、お申し出はありがたいのですが、私は先ほども言ったように、鍾さんの顧問弁護士で」

「ご安心を。あなたはここで、彼から解放されます。そうだな、鍾」

悄然とした鍾が躊躇なく頷いた。

「代わりに、我々コロンビア・キャピタルが、あなたをお雇いします。すでに、反町さんも了解済みです」

反町の了解済みという一言で、慶齢は反論の糸口を失ってしまった。目の前に、携帯電話が差し出されていた。

「電話で確認してみますか、反町さんに」

慶齢は経緯《いきさつ》が全く理解できず、この状況について質そうとした。

「質問はあとにしましょう。ひとまずは食事をご一緒しましょう」
英龍の肩越しに、鍾が部屋を出て行くのが見えた。

5

二〇〇八年六月一九日　山口・赤間

サムのみならず、リンや石岡、前島らは情報収集に躍起になっていた。少し一人で考えたくて、鷲津は先に自室に戻った。迎賓館はひっそりと静まりかえっていた。アカマ本社に戻った時に、アルの挨拶の電話が古屋にもあったと知った鷲津は、KKLの買収提案は本気だと判断した。

アカマからは分析と戦略を求められたが、確かな情報がない現状で軽はずみな対応は口にできなかった。引き続き白馬の騎士《ホワイトナイト》としてサポートする、と言うのが精一杯だった。不測の事態とはいえ、動揺はなかった。龍ではなく獅子が出てきた。それだけのことだ。KKLが単独で買収工作を仕掛けるなら、しょせんは定められたルールの中での闘いだ。引退した男に負ける気はしなかった。

問題は、ＫＫＬの背後にＣＩＣがいる場合だ。未曾有の資金を投入し、政治的圧力をかけることすら厭わない国家ファンドの買収責任者として、ＫＫＬが指名されたとしたら、原発を背負ったゴジラと闘うぐらいの気構えは必要だった。

「一気に勝負をつけるしかないな」

鷲津は、池に面する西洋庭園を眺めながら呟いた。

そもそもアルが雇われＣＢＯになること自体が常識では考えられないことだ。隠居している彼が、これほど積極的なのは、よほどの理由があるはずだ。

鷲津は書斎机に陣取ると、用箋を取り出してペンを走らせた。

アルバート・クラリスを動かすために必要な条件。一、カネ。そう書いたところで、手が止まった。天国で豪遊してもまだおつりが出るぐらい、彼はカネを持っている。二、名誉。アルは名誉などというものを毛嫌いしていた。過去にもイタリア大使や、ホワイトハウス入りという話があったが、「名誉でカネは稼げん」とあっさり断っていた。三、愛国心?

「愛国心か。あの爺さんなら、意外とそれで動き出すかも知れんな」

サンフランシスコ生まれのアルは、学生時代は反戦運動の旗手だった。しかし、親友がベトナムで戦死したことで、「戦場を知らなければ、反戦は語れない」と決心、泥沼化したベトナムへ志願兵として従軍する。壮絶な二年間をサイゴンで過ごし、帰国後は戦争体験によるPTSDと格闘。回復した時には、彼は反戦運動からきっぱり足を洗う。その直後に始めたのが、ファンドビジネスだった。自分の主張を社会に訴えるためには、何が必要であるかをようやく悟ったのだ。そして経済で世界の覇権を握ると同時に、アメリカを愛する若者を支援する団体を立ち上げた。

——ベトナムに従軍した連中のただ一つの支えは、自分は国のために役に立っているという幻想だな。それを、政治家の奴らは覇権の道具にしやがった。俺はそれが許せなくてね。この国に必要なのは、健全な愛国心だと気づいたんだ。

ハゲタカファンドのトップが健全な愛国心とは笑止だが、アル本人は大真面目だった。噂では、ビジネス界から引退した今でも、愛国者支援の活動だけは続けているらしい。

「問題は、愛国心と中国国家ファンドがどこで繋がるのか、だ」

ベトナム戦争を体験したこともあって、彼の共産主義嫌いは筋金入りだった。アメリカの投資家の多くが中国に積極的に投資していても、アルは全く関心を示さなかった。KKLブランチの中国大陸進出もいまだに聞いたことがない。

「中国嫌いのあんたが、CICの先棒を担ぐってのが解せないんだなあ、アル」

前夜の電話では拒絶したが、ケープコッドにある彼の邸宅に行き膝詰め談判するのが賢いかもしれない。鷲津がそう思い始めた時、携帯電話が鳴った。発信元は海外だった。本当は無視したいところだが、相手はアルかも知れないと思い直して電話に出た。

「大変な事態がおきているようだね、政彦」

ヨハン・ストラヴィンスキーが愉快でたまらないという風に、ドイツ訛りの強い英語で話しかけてきた。

「嫌みの電話なら勘弁してくれ。さすがに今日は疲れた」

「一日は始まったばっかりだろ」

午前三時過ぎなのだから理屈としてはそうだったが、鷲津にとってはまだ昨日の続きだった。

「何かとっておきの情報でもあるのか」

「情報でも、カネでも、陛下のお望みのものを」

やけに気嫌が良いらしい。こういう時のヨハンは、本当に朗報を聞かせてくれる。

「じゃあ、まず教えてくれ。アル爺さんの魂胆は何だ」

「条件がある。君を助けたら、ローザンヌにある僕の古城でピアノリサイタルを開いてくれるかい」

「ヨハーン、勘弁してくれよ。もうピアノはやめたんだ」

「聞いたぞ、上海のJZクラブでは、爺さんバンドと一緒にコラボしたそうじゃないか」

何でそんな情報が、スイスから一歩も出ない男の耳に届くんだ。舌打ちしながら、仕方なく条件交渉を始めた。

「但し、観客はなしだ」

「二〇〇人限定」

「五〇だ」

「ダメだ、一〇〇」

一〇〇人の前で生き恥か。それでも、本業で恥を晒すよりはましだった。

「成立《DONE》！　それで、動機は何だ」

「愛国心だよ」

鷲津は思わず用箋に、ビンゴ、と走り書きした。

「だが、彼は大の共産主義嫌いだ」

「そうだよ。まあ言ってみれば、苦渋の選択だね」

苦渋の選択というのは、分からないでもない。

「どういう事なんだ」

「アメリカのビッグスリーが大変なのは、知ってるよね」

「ああ、プリマス社とフォックス自動車だろ」

「一番問題なのは、ユニオン・オートだよ」

アカマと世界の自動車産業を二分するＵＡことユニオン・オートは、世界最大の自動車メーカーとして長らく君臨してきた。

「ＵＡが、プリマス社を支援したはずだな」

「あれはね、金融機関から運転資金を集める口実なんだ」

ヨハンの話では、ＵＡの経営難は深刻で、今年度は一〇〇〇億ドル以上の赤字を計上する可能性があるという。そこで、ＵＡよりもさらに赤字が深刻なプリマス社を吸収合併する名目で世界中からカネを集めて、自社の再建費用に当てる荒技に出たらしい。

「融資のためにＵＡをデューデリした金融機関は、軒並み融資を断っている。このままだとビッグスリーが、この世からすべて消えるかもしれない」

「しかし、自動車産業はアメリカの基幹産業だ。政府が支援するだろ」

「ところが現実は甘くないんだ。内部情報だが、今年の秋から冬にかけて、投資銀行の大半がクラッシュする可能性が高い。そんな事態に直面している政府には、返済の目処もないような緊急融資をおこなう余裕はない」

四月にニューヨークを訪れた時、アメリカの金融機関の疲弊ぶりは相当に深刻だと実感した。しかし、「投資銀行の大半がクラッシュ」とは。

「そこで、我らがアンクル・アルの登場とあいなった」

なるほど愛国心の強いアルなら、アメリカの基幹産業を救うために一肌脱ぐぐらいはやるだろう。

「しかし、さすがのアルでも、みすみす無駄金は突っ込まないだろ。それがなぜアカマ買収に繋がる」

「政彦、そんなに先走ってはいけないよ。実はね、アメリカのビッグスリーに、季節外れのサンタクロースが現れたんだ。まさに赤い服をまとった夏のサンタだ」

「まさか、ＣＩＣ？」

「大当たり。だんだん見えてきたでしょ。なんと総額五〇〇〇億ドル規模の融資を、アメリカ政府に持ちかけた」

鷲津は一瞬、聞き間違えたのかと思った。

「なぜ、アメリカ政府に持ちかけたんだ」

「そこがCICサンタの凄いところだ。カネが返せない企業に直接貸すのではなく、アメリカ政府に恩を売るんだよ」

どうせ捨てるのなら、有効にカネを使え。それがCICの使命なんです。そう一席ぶったのは、鷲津自身だった。

「とんでもないな」

「凄い国ですよ、あの国は。僕は真剣に引退を考え始めました」

嘘つきめ。ヨハンなら、赤い悪魔とも十分仲良くやれるだろう。

「それで、CICがビッグスリー救済として五〇〇〇億ドル支援するのと、アルとどう繋がる」

「融資の前提として、彼らは条件を付けたんです。KKLの手を借りてアカマ自動車を買収することというね」

鷲津は思わず椅子から立ち上がった。

「びっくりでしょう、政彦。こんな無茶な話は聞いたことがない」

だがヨハンはとても楽しそうだった。そりゃそうだろう、CICの企みによる世紀のバトルが見物できるのだから。

「つまりアルは、政府に頭を下げられて、ＣＩＣの雇われＣＢＯになったということか」

「そういうことでしょうね。無論、損をする気はないでしょう。それに、ご存じのように現在のビッグスリーはクズ会社ですよ。馬鹿で強欲な経営陣と、働かずにカネだけをむしり取る労働貴族。あれじゃあ、潰れて当然です。なので愛国者アルとしては、ビッグスリー三社にアカマイズムを移植するいい機会だと考えているようですよ。まぁ、簡単に言えば、米中が手を結んでアカマを買って、いいとこ取りをしましょう、という話です」

自動車メーカーの世界地図の線引き遊びと洒落込もうじゃないか、というアルの言葉が蘇ってきた。

「政彦にとって、いや世界の買収市場にとって、史上最大の闘いとなりそうですね」

「なあ、ヨハン。こんな情報だけじゃ、リサイタルはやらんぞ」

「政彦、そういうのを恩知らずっていうんですよ」

「あんたは、まだ何か知っているはずだ。俺が望むものは何でもくれるんだろ。俺が望んでいるのは、このとんでもない闘いに勝つための突破口だ」

ヨハンは黙り込んだ。勿体ぶるのは、彼がとっておきの情報を口にする兆候だ。

「ヨハーン」

「確約しますか、リサイタル。二〇〇人で」

さりげなく人数を上げてきた。だが、鷲津はもうどうでもよかった。

「ああ、いいよ。確約する」

「クーリングオフはなしですよ」

「了解した」

ヨハンは、間髪容れずに突破口を口にした。

「アルは不本意です」

「何だと」

「望んだわけでもないのに、茶番のような買収劇に引きずり出された自分を嫌悪しています」

さきほどの電話では、とてもそうは思えなかった。ただ、一つ引っかかったのは、正式な記者発表の前だというのに、「アホな闘いで世間を喜ばせるのは、バカげている。早々に会って、決着をつけてしまわないか」と誘ったことだ。

アルは間違いなく鷲津を恨んでいる。彼が手塩にかけた部下の中で、離叛したのは鷲津だけだ。しかも、退職金の受け取りまで拒否した。面子《メンツ》を重んじるアルには許し難い存在のはずだ。

アルの性格を考えれば、この機を逃さず報復してくるだろう。しかも世界中の金融界のみならず、政官財からも注目を浴びるメガディールで鷲津を打ちのめせるのだから、痛快さも格別だ。それを最初から手打ちしようと自ら持ちかけてくるのは、確かに妙だった。

「政彦、聞いているかい」

黙り込んで考えを巡らせていると、ヨハンが呼びかけてきた。

「ああ、失礼した。つまり、アルは一刻も早くこのディールを終わらせたいと思っているということか」

「だと思うな」

やはり、ディールが本格化するまでが勝負だ。鷲津は改めてそう思った。

「ヨハン、このディールで俺が生き残ったら、二〇〇人のリサイタルでも何でもやってやるよ」

「僕は、リンと違ってフェアが好きなんです。こんなアンフェアなディールで、市場を穢されたくないんです。でも、リサイタルは楽しみにしていますよ。最後に、僕からのとっておきのプレゼントを」

今日は、やけにヨハンの気前が良い。

「ディールのキーマンは、将英龍です。彼とは既にお知り合いなんでしょう。ならば、彼をお使いなさい」

そうだ、そんなジョーカーがいた。しかしなぜヨハンは、このディールの裏事情に通じているんだ。一瞬、鷲津の脳裏で悪魔が囁いた。

まさか、この男が黒幕なのか。ポーランド系ユダヤ人であるヨハンは、陰謀めいたディールが好きだった。彼のせいで破綻した企業は数知れず、国家財政を危機に陥らせたことすらあった。

「そうだ、忘れていました。一つだけ、リンとあなたに、私の精神科医からの伝言です」

「美麗のことか」

彼女は、ヨハンが紹介してくれた精神科医にかかっていたのだ。

「美麗さんが行方をくらませたことに、責任を感じているそうです。それで電話がありましてね。美麗さんの記憶喪失は、人為的なものだろうということです」

「人為的？」

「そうです。だれか医学的知識のある者が、彼女の記憶を失わせた」

自分が巻き込まれている事態が、ほとほと嫌になってきた。

「そんなことが可能なのか」

「みたいですね。僕も詳しくは知りませんが。いくつかのトリガーが揃うと記憶が回復するのではないかと言っています。ただし、既に時間が相当経っているらしく、断片的に記憶が戻りつつあると」

スリーピング・ボムと、サムが言ってたな。

「声まで失うのか」

「副作用じゃないかと。記憶の回復と同時に声も戻るかもしれないそうです」

不敵な笑みと共に闇に消えた賀一華の顔を思い出した。

「ありがとう、ヨハン。念のために訊ねるが、美麗は今どこだ」

サムがヨーロッパの調査機関に依頼して、必死で彼女を探しているが、埒が明かない。

「政彦、申し訳ないけど、僕にも分からないことがある」

ヨハンは淡白に返すと電話を切った。

鷲津はタバコに火をつけると、バルコニーに出た。雨は止み、星が瞬いていた。上海のグランド・ハイアットから見下ろす夜景を思い出した。

こうして地球の片隅から眺める星は、色とりどりの貴石に見える。所詮は人間のロマンチシズムで、実際は巨大な恒星が消滅やら誕生やらを繰り返しているだけだ。

「俺がアルやヨハン、そして王烈に見せられている絵と同じようなもんだ。生き残るために、自分の目を信じるしかない。見えている物を見るだけでは、どうにもならん。見えない物、隠された物をどうやって見極めるかだ」

書斎デスクに置いた携帯電話が再び明滅し、着信を告げていた。

「夜分に失礼。将英龍です」

第四章　乾坤一擲《けんこんいってき》

1

二〇〇八年六月一九日　ケープコッド

貧弱な腕が精一杯力こぶをつくっているような地形のケープコッドは、マサチューセッツ州東端のボストン近郊にある半島だ。

新大陸発見前から存在が知られ、新天地を目指した清教徒が最初に辿り着いた地だった。長らく捕鯨基地として栄え、現在は東海岸有数の高級リゾート地となっている。その突端に、ＫＫＬの総帥アルバート・クラリスの邸宅はあった。

ヨハンの電話の後、鷲津はプライドを抑え込んで「自宅にお邪魔するので、それまでは動かないで欲しい」とアルに懇願した。

さっそく福岡から成田経由でニューヨークに飛ぶと、空港で待っていたアルのプライベートジェットに乗り込み、クラリス家の庭にある滑走路に降り立った。

邸内に入ると、戦前からタイムスリップしてきたような老執事が一時間ほど休憩するようにと言って客室に案内した。鷲津は遠慮なくシャワーを使い、三〇分あまり仮眠した。約束の時刻の五分前に、先ほどの大時代な執事が迎えに来た。

案内されたのは、ケープコッド湾が一望できるコロニアル風の居間だった。時刻は午後七時を過ぎていたが、陽の沈む気配はなく、明るい夕陽に照らされた海がまぶしかった。

「必ず来ると思っていたよ」

アルが大袈裟に両手を広げて、歓迎の意を示した。数年ぶりに会う御大は、アーネスト・ヘミングウェイを彷彿《ほうふつ》させた。長めの縮れ毛に白髪交じりの頬髭、そして皺の中に埋もれたような小さな目は、冒険者でもある文豪そっくりだった。だが、小さな目から放たれる鋭さには、悠々自適の暮らしに飽きているらしい彼の心中が覗いていた。

鷲津は懐かしさを込めて、アルの大きな手を握った。手が節くれ立っているのは、大好きなヨットと釣りの頻度が増えたせいだろう。

「頭の良さで、おまえさんに勝るプレイヤーはいる。だが、浅ましいほど卑屈になってでも敵の懐に飛びこむしたたかな男は、ざらにはいない。おまえさんは、やっぱりピカ一だ」

昔から褒め上手な男だった。

「光栄です。しかし、その期待を最も裏切ったのも私だ」

アルは「フン」と鼻で笑って鷲津の華奢な背中を叩くと、ケープコッド湾を一望するベランダに誘った。この一帯は真夏でも三〇度を超える日がほとんどないという。通り抜けていく海風も心地良く、鷲津の緊張した体をほぐした。

クアーズで乾杯した二人は、海に向かって並べられた椅子に腰をおろした。

「さて、遠路遥々やって来たゴールデンイーグルに、私はなにをしてやれるのかな」

無駄話が嫌いなアルは、ビールで喉を潤すなり本題に入った。

「あなたの伝書鳩から、経緯は聞きました」

「はて、ウチにそんな遠距離を飛べるハトがいたかな」

「ご丁寧に二羽も飛んできましたよ。完璧主義者のあなたらしい絶妙なタイミングで」

アルは目が皺に埋もれるほどの笑みを浮かべ、自分の差配を否定しなかった。

「ただ、人選がまずかった。ヨハンや英龍という、善意などかけらも持っていない連中が善意を振りまいてくれて、かえって冷静になれた」

ヨハンが情報をくれたのは親切心ではなく、アルの手回しだとすぐにわかった。ビールを飲み干すと、アルは悔しそうに缶を握りつぶした。

「とは言え、あなたがつまらん愛国心に転ぶとは、予想していませんでした」

ベランダの手すり近くを横切ったカモメを見やりながら、アルはしんみりと言葉を漏らした。

「年を取るとな、つい世の中の役に立ちたくなるんだ」

「良いことです。だが、それは自国内だけに止めてほしいですね。日本にまで触手を伸ばされたら迷惑だ」

「おまえ、嫌みを言いに来たのか」

アルは気が抜けたように籐製の椅子にもたれ込むと、空を見上げた。二羽のカモメが言い争うようにうるさく鳴き始めた。

「あなたの本音を伺いに来たんです。そもそも、あなたが呼びつけたんだ」

「俺の本音はただ一つ、なにも言わないでアカマを任せろ」

鷲津は黙って、手にしていたクアーズの缶を見つめていた。東海岸のビールはビールじゃないと決めつけるアルは、昔からクアーズしか飲まない。万事に頑固な男だった。そのくせ、ビジネスでは、勝利に最短距離となる手段はすべて貪欲に受け入れた。

ビールを飲みながら、鷲津はただ黙って待った。沈黙は金、だ。

「なんだ、もう減らず口は終わりか」

「あなたの本音を伺いに来たと言ったはずです。本音を聞くまでは、何も返さない」

両手で弾みをつけて勢いよく立ち上がったアルは、冷蔵庫からもう二本ビールを取り出してきた。一本を鷲津に渡すと、突っ立ったまま無言で彼を見下ろした。二メートル近い巨漢が、初夏の西日に照らされて黄金色《こがねいろ》に輝いていた。ライオンとあだ名された市場の王らしい睥睨《へいげい》だった。

「ずっと俺の手元に置いておきたかったよ」

鷲津は静かにライオンを見上げた。

「追放したのは、あなた自身ですよ」

「言うな。組織のトップとして、けじめをつけなければならないこともある」

わざと呆れて見せた。アルは面白くなさそうに一度伸びをしてからベランダの手すりによりかかった。

「俺の目的は、危機に瀕したビッグスリーを救うことだ。大統領から直々に頭を下げられた」

そういうお膳立てに弱い男だった。

「あんなサルに頭を下げられて」

「俺は昔気質なんだ」

鷲津は吹き出さないようビール缶で唇をふさいだ。

「だが、中国の手先になるなんぞ、まっぴらだ。そして、おまえに負けるわけにもいかない」

駄々っ子のような理屈だった。鷲津は反論せずに、本音の続きを待った。

「だからおまえさんに、八方丸く収まる手打ちを考えて欲しい」

虫が良すぎる話だが、無理を承知でアルは頼んでいるのだ。

「申し出を受けたら、私の指示に従っていただけると理解していいんですね」

「マサ、調子に乗りすぎるな」

鷲津は静かに立ち上がると、アルとは微妙な距離を置いて、ベランダにもたれかかり眼下を見下ろした。

ケープコッド国立海浜公園が広がっていた。海の先はホエール・ウォッチングのメッカでもある。ただひたすらに穏やかな海が広がり、水平線に近づくにつれて空と海の区別が曖昧になる。ずっとこのまま、気楽な隠居暮らしを楽しめばいいものを。鷲津は水平線に向かってため息を吐いた後、かつてのボスの方を向いた。

「プライドを捨てる勇気がないなら、お好きにおやりなさい。だがその時は、私も容赦しない。あなたを世界中の笑いものにしてやります」

アルが挑発に反応したのが分かった。だが、鷲津は気づかぬ素ぶりで話を続けた。

「このディールは、あなたの晩節を穢すことになる。それを私は救って差し上げましょうとお伝えしに来たんですよ」

アルの両手が顔を何度か叩いて、自分自身に活を入れていた。

「悔しいな。俺がおまえに跪くなど、あり得んことだと思っていたのに。いいだろう。そこまで大きく出るのなら、おまえのプランを聞こうじゃないか」

切り替えの速さこそ、アルの真骨頂だ。鷲津としては、それを待ち構えていたのだが、そんなことはおくびにも出さず、胸に手を当てて頭を垂れた。

「ご理解いただけて感謝の至りです」

「芝居じみた真似はよせ。それで、どうする」

「あなたの古くからの人脈をお借りして、ビッグスリー・バッシングを展開します。ビッグスリー側は、アメリカ人の魂を守ろうなどというクソみたいなお涙頂戴の物語を、いずれ世間に垂れ流すつもりなんです。だが、連中を悲劇の主人公に祭り上げてはなりません。犯罪者だ。地方都市の年間予算に匹敵する莫大な報酬で放蕩三昧《ほうとうざんまい》をする経営者は、犯罪者だ。彼らは地球温暖化のこの時代に、省エネの努力一つせず、走る鉄ゴミを作り続けてきたんだ。その報いを受けてもらいましょう」

アルは呻くだけで反論しなかった。

「いいですか、あなたたちが途上国とバカにしている中国から、五〇〇〇億ドルも支援を受けるのは恥ですよ。しかも、それはしょせん急場しのぎのカネだ」

鷲津は、黙り込んでいる老人に質問をぶつけた。

「CICがビッグスリーの一角を買わない理由を理解していますか」

「おこがましいと思っているからだろう。連中はユノカルで懲りている」

鷲津は呆れたように肩をすくめた。

「一体いつになったら、アメリカは巨人だという幻想から抜け出せるんです。彼らがビッグスリーを買収しないのは、未来がないからです」

さすがにアルも怒りを爆発させるかと、鷲津は身構えた。だが、彼は節くれ立った指を見つめるばかりだった。

「ビッグスリー救済に必要なのは、本当にカネなんですか」

返答はなかった。人の気配を察したカモメが、いつの間にかあちこちから飛んできて、間の抜けた鳴き声で餌をねだっていた。

「骨の髄まで腐敗した根幹を変えなければ、再生なんてあり得ない。愛国心を振りかざすなら、まず国賊ビッグスリーの経営者を叩く必要があります」

「私も異論はない。おまえのプランを聞こう」

どこまで腹を割るべきかを考えるため、鷲津はわざとゆっくりした動作で椅子に腰かけた。

「このトランザクションを、政治マターから市場マターに引き戻したいんです」

「政治家使いが上手い、おまえさんの言葉とは思えんなあ」

辛辣な一言だったが、気にしている場合ではない。彼はうるさいカモメを追い払うように、大きく両手を打った。

「企業の興亡に政治が介入すべきではないというのは、我々の共通認識だったんじゃないですか」

アルはむっつりと黙り込んで、足下に視線を落としていた。鷲津は畳み掛けた。

「M&Aビジネスは、ジャングル・ビジネスだ。だが、ジャングルにも掟とルールはあるというのが、あなたの口癖だったはずだ。死に体を無理に延命してはいけない。それは自然の摂理に反し、市場原理を否定することになる。潰れるものは潰すべきだ」

「ことビッグスリーだけは、そういうわけにはいかん」

苦し紛れの反論に、説得力はなかった。

「そういう発想はおやめなさい。何度も再生のチャンスがあったのを、資本家から政界までもが過保護にした挙げ句、簡単には潰せない化け物を作り上げたんだ」

「いや、精神論の話ではない。アメリカの自動車産業に従事する労働人口は、一〇〇〇万人以上だぞ。それだけの人間が失業したら、アメリカという国は瓦解する」

「見てみたいもんだ、この国が破綻して、傲慢な連中の鼻がへし折られるのを。

失業者を出さない方法を考えればいい。それこそが、政治が担う責務でしょう」

「今の政府にそんな舵取りはできない」

「ならば、あなたが支援する黒人大統領候補に託せばいい。『チェンジ』を標榜しているんでしょう」

アルは途方に暮れたように鷲津を見つめてから、無造作に籐の椅子を引き寄せて座った。

「選挙まで半年近くもあるんだ。しかも彼にとっては地元だぞ。そこの基幹産業を切り捨てる発言など、いくらなんでも無理だ」

「切り捨てる必要はない」

即答すると、アルが驚いて鷲津の横顔を覗き込んだ。

「おまえ、なにを考えている」

「三社同時プレパッケージ買収です」

プレパッケージ買収とは、破綻寸前企業の受け皿を決めて、民事再生する方法だった。

「あんなバカでかい会社を誰が引き受ける」

「M&A界のライオンと呼ばれたあなたなら、できるでしょう」

「あり得ない」

珍しく市場の獅子が狼狽していた。

「なぜです」

「投資家が許さんよ、そんな無茶な投資は」

肘掛けに置かれたアルのごつごつした手の甲を、鷲津は軽く叩いた。

「妙案があるんです。ＣＩＣから出る資金を元手に、自動車メーカー支援ファンドを立ち上げます。あなたが陣頭指揮を執ればいい。私もお手伝いします。技術的な問題は、アカマ自動車が全面的に支援します」

冒険家の容貌を持つ男が、考えることに全神経を集中し始めた。

「米中日三ヵ国による国際国家ファンドを立ち上げる。そのカネで、ビッグスリーの再生と、中国オリジナルブランドメーカーの創立を同時にやればいい。いずれ、日本の自動車メーカーがお世話になる時も来るでしょう」

「さっき政治マターから、市場マターに引き戻すと言わなかったか」

「これは、市場マターの視点で考えた案です。自動車メーカーの未来のために、市場がリードする新しい世界地図を作る。だが、そのためにはハイリスクというハードルを越える必要がある。ならば、ハイリスクなど恐れぬ投資家を探せばいい。すなわち各国政府や国家ファンドです」

鷲津の説明を聞くアルは、独り言を呟きながら腕組みをしていた。アルの勝負師としての頭脳が、鷲津の案に勝算があるかどうか熟考しているのだろう。あと一押しだ。

「私は、ＣＩＣの発想が好きになれない。投資は損をせよ。そして、益のある損を目指せ。そういう彼らの発想が、市場を狂わせ始めている。カネは捨てるために使うんじゃない。生かすために使うんです。ならば、捨てていいと思っているＣＩＣのカネを、有効に使う方法を考えるべきだ。その答えが、ＩＡＩＳＦ（国際自動車産業支援ファンド International Automobile Industry Support Fund）です」

「おまえらしい理想主義的な発想だな。だが、中国はそんな面倒は嫌がるだろう。カネにあかして好きなものを買う方がいいに決まっている」

「本当にそうでしょうか」

アルが眉を上げた。

「中国がアカマを求めるのは、企業としてじゃない。アカマの技術、人、システムが欲しい。つまりソフト力です。それが分かっている以上、我々はたとえ会社は与えても、宝石は与えませんよ」

「クラウン・ジュエルか」

アルは、アカマの防衛策を的確に言い当てた。

「同時に、私とアカマで、アメリカの宝であるユニオン・オートに、パックマン・ディフェンスを仕掛けます。今のＵＡに、それを駆逐する力があると思いますか」

ライオンの顔が真っ赤になった。

「ビッグスリーに必要なのも、カネじゃない。抜本的な企業の再構築でしょう。日本から技術を直接教わるのに抵抗感があるでしょうから、IAISFの資金で自動車産業研究所を設立して、経営と技術革新の共同研究をさせればいい」

「なぜ、そんな回りくどいことをするんだ」

「米中の面子を守るためであり、日本の自動車メーカーのプライドを守るためです」

「言っている意味が分からない」

そうだろうな。この男は、アメリカという百獣の王を中心にした発想しか考えられないからな。鷲津は二本目のビールのプルタブを開けると、一口飲んでから答えた。

「アメリカも中国も、面と向かって日本からなにかを教わるのはお嫌でしょう。だから、買収という荒っぽい手に出た。ところが日本だって、買収で会社を失うというのは感情的に治まらない。お互いのジレンマも、国際研究機関という存在があれば、解消されるのでは」

鷲津は持参した文書をアルに渡した。アロハシャツの胸ポケットから老眼鏡を取り出したアルは、熱心に読み始めた。彼は独り言を呟きながら三度読み返し、最後は感心したように唸った。

「確かにこれだと、八方丸く収まるかもしれん。だが、俺は中国の説得などまっぴらごめんだ」

「ご安心ください。それは私がやります。あなたには他にして欲しいことがある」

「なんだ」

「マスコミを使ってビッグスリーの経営陣と労組を叩き、国民を怒らせて欲しい」

アメリカ人は、日本人以上に感情的な国民だ。それが爆発すれば、大きな追い風となる。

アルは文書を二ツ折にすると、彼にしか読めない乱雑な文字でメモを書き込み始めた。それを眺めながら、鷲津は続けた。

「次に、ＣＩＣがビッグスリー支援に五〇〇〇億ドルを出すという情報をリークして欲しい」

走り書きする手が止まり、アルが怪訝そうに顔を上げた。

「なんのためだ」

「ただでさえビッグスリーの無軌道ぶりに怒っているのに、政府が中国に物乞いしたと聞いたら、アメリカ国民はどう思うでしょうねえ」

アルの口元が歪んだ。

「おまえは、昔から人の感情を逆撫でする天才だったな。確かに、この期《ご》に及んでＣ

ＩＣのカネに縋ると聞いたら、国民は怒るだろうな」

有色人種の、しかも途上国に物乞いするなんて恥だ。誇り高いアメリカ人エリートなら、自分のことを棚に上げて怒り狂うだろう。

「政府は、世論から非難される。ＣＩＣからカネを借りられなくなります」

アルは首を振りながら、感心と非難が混じった目で、鷲津を見つめた。

「とどめは、あなたが大好きな大統領に、ＩＡＩＳＦの話を耳打ちしてください。アメリカが提唱する形で、日中に働きかければいい」

アルはじっとペン先を見つめていた。集中しているときの彼の癖だった。

「こんな壮大な法螺話がうまくいくのか」

アルの目は、まだ半信半疑だった。

「うまくいかせるんです。ビッグスリー、いやアメリカが生き残る方法は、それしかありません」

2

ニューヨーク

「二度とお会いしないと思っていましたよ」

中国財政部の喬慶《チャオチン》は、相変わらず人を食ったような薄ら笑いで、鷲津の手を握りしめた。セントラルパークの南端と向き合う名門ホテル、プラザ・ホテルのスイートルームで、彼らは再会した。

クラリスとの交渉を前に喬に連絡を取ったところ、ニューヨーク滞在中につきプラザで会おうと、返事があった。クラリスの協力をとりつけることができても、中国が応じなければ、鷲津のプランは実現しない。なんとしてでも喬を説得する必要があった。

「邂逅とはままならないもんです」

鷲津は固苦しいまでに礼儀正しく返した。

「まずは、賀一華を退治してくださったことを感謝すべきですね。ただ、あなたが彼を逃がしたという噂がある」

喬の皮肉を鷲津は軽くいなした。

「初めて聞く噂だ」

互いの真意を測るように見つめ合った後、対峙する席に着いた。喬の後方には、国家発展改革委員会で海外投資の責任者を務めている、李懐《リファイ》がまたもや控えていた。

「それでお話というのは?」

アールグレイティーにミルクをたっぷりと注いだ喬は、単刀直入に訊ねてきた。

「CICを、アカマ買収から撤退させて欲しい」

「鷲津さん、お門違いはやめてもらおう。CICの投資についての相談なら、私ではなく王烈君にすべきです」

「だが、彼にはなんの権限もない。それに、そんな呑気な交渉をしている余裕はない」

クラリスから期限を切られていた。一週間で決着がつかない場合は、KKLは予定通りアカマにTOBを仕掛ける。

喬は上品な手つきでお茶を飲んだ。中世貴族のサロンを思わせるティールームで、彼の動作は妙にわざとらしく映った。

「賀一華が消えた後、CICも大人しくなったはずですが」

「表向きはね。だが、お得意の政治力をバックに、あろうことかアメリカの買収ファンドを雇った」

喬は相変わらず優雅にお茶を飲むことに執心し、返事もしなかった。鷲津はテーブルに肘を突くと、喬の隣で控える李を見た。既に彼の顔に答えはあった。

「李さん、心の内を顔に出さない訓練が足りないようですね」

李は小さく詫び言をこぼした。喬は小馬鹿にするように鼻先だけで笑うと、鷲津に向かってにっこり微笑んだ。

「アメリカのファンドを中国が操るなんて、あり得ない話だ」

「だが、喬慶という人物にかかると、それぐらいのことは朝飯前のようだ。あのアルバート・クラリスを顎で使う猛者《もさ》を、私は初めて知りましたよ」

「アルをねじ伏せた鷲津さんには及びませんよ」

鷲津もティーカップに口をつけた。冷めてはいたが濃いめのアールグレイは、ここ数日の強行軍で疲れた体に沁みた。

「私の申し出を受けてくださるんでしょうか」

「現状では、希望を叶えて差し上げることは無理ですな。たとえ私がその気でも、上層部が納得するだけの材料がないと」

のらりくらりとかわし続ける喬を、鷲津は切り崩しにかかることにした。

「そこまでおっしゃるなら、アカマという会社は差し上げましょう。ただし、中身は空っぽですよ」

「クラウン・ジュエルですか」

「私は単に、骨抜きと呼んでます」

喬は乾いた笑い声を上げた。

「良い呼び名だ。ですが、そんなことができますか。世界で最も面子にこだわるのは、貴国の民だ。世界に誇るアカマを中国に売りつけるあなたを、日本人は許さないのでは」

「私は、日本国民の僕《しもべ》ではない。その言葉は、そっくりお返ししよう。金にあかしてアカマを買えば、貴国もアメリカも、日本人を敵に回すことになる」

喬慶だけでなく、李までもが笑い声を上げた。数々の歴史的事件を目撃してきた白亜の天井に、下品な響きが吸い込まれていった。

「それは怖いな。また、満州でも取りに来ますか」

「逆ですよ。人件費が安いのは中国だけじゃない。今ならベトナムでも、ロシアでも大歓迎して工場を誘致するでしょう。つまり貴国における日本企業の工場も骨抜きになります」

途端に、喬の顔が強張った。能面のような喬が感情を表出したことに手応えを感じ、鷲津は相手の言葉を待った。

「あなた、中国と本気で戦争をする気ですか」

「ご冗談を。そうならない努力をしているんです。貴国が欲しいのは、アカマという企業ではないはずだ。それに今後も日本のメーカーには、中国にとどまって欲しいとも思っている。ならば、角突き合わす事態は避けるべきでしょう」

「言ったはずですよ、上層部を説得するための材料がいると」

鷲津はシュガーポットに入っていた角砂糖を一つ取り出すと、口の中に放り込んだ。

「あなた方が手塩にかけて育てている颯爽汽車を、私の友人が手に入れてくれました」

虚を衝かれたように、中国財政部のエリートが目を見開いた。

「悪い冗談はよしましょう。生憎、私の国では外国人はオーナーになれません」

「私には外国人の友人が大勢います。もちろん、中国人もね。買収を手引きしたのは、颯爽のCEOだ」

喬が思わず隣を睨むと、李は慌てて携帯電話を取り出し、どこかに連絡した。鷲津が続けた。

「無論、共産国家だ。いかようにも強引なことはできるでしょう。しかしその時は、颯爽汽車も骨抜きにして見せます」

喬がふてくされたように腕組みをした。

「あなたが協力してくださるなら、颯爽汽車の経営には一切、口出ししません。その上、東亜オート及びアカマ・ディーゼルとの提携も約束する。無論、宝石つきでね」

「そんな軽はずみな約束をしていいんですか」

「私は全権を委任されている。さらに、CICが下がってくれるのであれば、日中共同自動車技術開発研究所を中国に設立すると、アカマ自動車は約束しています。その上、おたくらがどぶに捨てようとしていた五〇〇〇億ドルも、もっと有効に活用してあげます」

電話に向かってまくし立てていた李が、恨めしそうな一瞥を鷲津に投げてから、喬に報告した。

「今、確認しました。香港の将英龍が颯爽汽車株の六七％を取得したそうです」

「あの小僧」

喬の顔つきがみるみる凶悪になった。

「喬さん、あなたの使命はなんです。日米と事を構えることですか」

喬が歯ぎしりして睨み返すのが、鷲津には楽しくて仕方なかった。

「国際競争力のある自動車メーカーを、中国に誕生させることでしょう。私の申し出を聞いてくださるのであれば、アカマだけでなく、アメリカのビッグスリーの技術を含めたノウハウを提供します。これだけの材料があれば、おたくの上層部の皆様も御納得されるのでは」

鷲津はテーブルに置いたファイルを、喬の前に押し出した。

「チャンスは一度です。条件交渉もなしです。ここで決裂したら、世界市場は不幸な買収戦争に巻き込まれ、あなた方の欲しい物は何一つ手に入れられませんよ」

3

二〇〇八年六月二三日　香港

長い旅が終わろうとしていた。ケープコッドから始まった旅は、ニューヨーク、ローザンヌ、東京を経て、香港で幕を閉じる。この日、午後の早い時刻に、リンと共に香港入りした鷲津は、その足で君悦酒店《グランド・ハイアット》にチェックインした。ホテル自慢のプラトー・レジデンシャル・スパで旅の疲れを癒し、数時間ほど仮眠した。サムや孫も部屋に呼んで、年代物のシャンパンで乾杯し、港湾壹號《ワン・ハーバー・ロード》の広東料理を堪能して英気を養った。

最終調整に向けての準備は着々と進んでいた。アカマ防衛については、古屋や大内も交えて東京で綿密に打ち合せた。香港で二日後に予定されている関係者全員が出席するトップ・ミーティングで、基本合意書《レター・オブ・インテント》が無事に承認されれば大団円が待っている。

この夜、四人が集まったのは、にわかに要注意人物に浮上した将英龍についての分析のためだった。

もともとは、英龍は対CIC対策のためのパートナーの一人に過ぎなかった。ところが、賀一華と英龍の関係が判明してから、雲行きが怪しくなってきた。おまけにKKLとCICの仲介役が、英龍が率いるコロンビア・キャピタルであったことも判明した。アルと英龍の父、陽明が旧知の間柄だったためだ。

また、鍾論を調べていた孫は、鍾がアメリカに留学していた頃から将と深いつながりがあったことを突きとめた。

「おそらく最初から鍾は、英龍の指示で動いていたと思われます」

今のところ、謝慶齢と英龍の関係は判明していなかったが、孫の情報では、この一週間、彼女は英龍と行動を共にしている。

「どうやら俺たちを操っていたお釈迦様は、将英龍様だったってことか」

またしてもやられた。椅子の背もたれに勢いよく体を預けて、鷲津は首を後ろにそらした。

「そう決めるのは、早計じゃないかしら」

サムの苦手なマンゴープリンを代わりに食べていたリンが、スプーンを振った。

「彼はこの業界では、全くの無名よ。ずぶの素人と言ってもいい。確かに、将陽明の子どもたちの中ではピカ一の秀才らしいけれど、頭がいいだけでは、アルや王烈は扱えないわよ」

的を射た指摘だった。

「彼の経験不足を補う側近でもいるのか」

鷲津の問いに、サムと孫が顔を見合わせた。答えたのは、サムだった。

「考えられるのはリーですね。プラザ・グループ時代の経験は大きいと思います」

リンがスプーンを左右に振って否定した。

「あり得ない。彼は所詮ＭＤクラスよ。与えられた仕事をそつなくこなすことはできても、壮大な策略を立てる才能はないわ」

「あとは、陽明時代の右腕だった人物が、常に英龍と行動を共にしています」

そう言いながら、孫が文書を配った。リンがさっと目を通すなり舌打ちして却下した。

「単なる番頭ね」

「リンの見立ては正しいだろうな。ただ、持って生まれた図太さが、この世界ではモノを言う。一華もそうだったが、ある意味、経験の少なさが強さの一因かも知れない」

リンはしばらく考えた挙げ句、鷲津の説も退けた。

「机上の空論としか言えないような戦略ぐらいは考えられるかも知れないし、要領さえ良ければ、傍若無人に振る舞うこともできるでしょう。でもね政彦、百戦錬磨の強者を駒のようには使えないわ。きっと何かあるはずよ」

サムが肩をすくめ、孫は緊張気味に頷いた。リンは、スプーンを鷲津に突きつけた。

「英龍とは何者か。それがわからないうちは、あなたが英龍に会うことに、私は断固反対」

翌日の午後、香港仔《アバディーン》にある英龍の邸宅に招かれていた。「鷲津さんと二人っきりでお会いしたい」というのが、彼のたっての希望だった。鷲津はリンのスプーンを奪い取ってから、自身の決意を口にした。

「得体が知れないからこそ会う必要があるんだよ、リン。明後日のトップミーティングの席上でいきなり奴が暴走したら、目も当てられないからな」

鷲津の案が気に入らないようで、リンは険しい目つきになった。

「根拠のない自信はいい加減に止めた方がいいわよ。どういう相手か分からないのに、相手のテリトリーに乗り込むのはね、お調子者の無謀って言うの」

鷲津は胸に手を当てて驚いた仕草をした。リンがナプキンを投げつけたが、無事にキャッチした。

「ところで、父親については、どうなんだ」

ペリエの瓶を眺めていたサムが、渋い顔で新しいファイルを広げた。

「一九六〇年代から四〇年近く、香港と東京を股に掛けた中国の大物スパイマスターが暗躍したという噂がありました。アメリカでは、彼を〝赤い龍《レッドドラゴン》〟と呼んでいたようです。〝赤い龍〟は、戦時中は日本軍の特務機関に所属していたそうですが、実際は中国共産党との二重スパイだったようです。戦後、〝赤い龍〟は香港に移り住み、旧特務機関の人脈と軍閥から奪い取った資金を元手に、日本の政財界深くに入り込んでいます。彼が各界中枢に送り込んだ情報提供者《アセット》は数知れません。また、国交回復後は、中国人留学生を巧みに使った大スパイ網を張り巡らし、米ソの情報収集でずば抜けた能力を発揮したとか。その人物が、英龍の父、将陽明だそうです」

香港屈指の大富豪が、日本の元特務機関員であり、かつ中国のスパイマスターとは。鷲津は思わず口笛を吹いた。

「信憑性は？」

今度は孫が報告した。

「伝説的なスパイマスターが香港と東京で暗躍しているという話は、聞いたことがあります。ただ、私たちのような末端には、それが誰なのかは分かりませんでした。ただし、同時期に〝朱鷺《とき》〟と呼ばれていた手練《てだ》れのスパイが引退しています。それがちょうど、陽明が長男に事業を譲った時期と符合します」

それだけの情報では弱いと思った。鷲津の反応を見てか、孫が言葉を足した。

「もう一つ、香港返還前後から、中国党中央は華僑とのパイプづくりを強化しています。その最大の相手が陽明でした。彼は党中央書記処に所属する党員であっただけでなく、中南海《ジョンナンハイ》に自由に出入りできる数少ない香港華僑の一人だったそうです」

「それは、凄いことなの」

中国の政治構造に疎いリンが、孫に訊ねた。

「民間の企業家が党員になることは、ごく最近まであり得ませんでした。しかも、彼の党員番号は、現国家主席より若い。つまり、共産党結成時からの党員である可能性が高い」

「アメリカが陽明を〝赤い龍〟だと特定した理由は」

念には念を入れた。サムがファイルから目を上げ、両手を組んで答えた。

「東京のホテルで変死したにもかかわらず、警視庁は、ろくに解剖もせずに病死で処理しました。さらに遺体は、日本で荼毘《だび》に付されました」

「死因を隠したかったわけか」

「おまけに最初の捜査から公安が動いています。外国人だからと言われればそれまでですが、どうも防諜関係の課が動いたようで」

また、スパイごっこか。サムの説明を聞くうちにうんざりしてきた鷲津は、部屋の隅にあるミニバーからスコッチを取り出した。

「どこかの圧力でもかかったの？」

興味を持ったらしいリンが質した。

「そのようです」

「どこだ」

鷲津は氷を数個グラスに入れて、マッカランをなみなみと注いだ。注ぎ終わるのを待って、サムが答えた。

「北京という説と、ワシントンという説があります」

陰謀に乾杯と鷲津がグラスを掲げると、サムが眉をひそめた。

「骨の髄まで真っ赤に染まった筋金入りの共産主義者というのが、〝赤い龍〟の評判でした。彼は私財をなげうち、ひたすら諜報活動に人生を捧げた。そんな彼には、中国の欲望剝き出しの資本主義化が許せなかったようです」

世界有数の大富豪になった男が、金儲けに走る祖国を嘆くのは、お門違いのように思えた。

「彼の愛国心は急速に冷めました。中でもここ五年ほどは諜報活動を控え、資本家としての活動も息子たちに譲り、隠居暮らしを楽しんでいるようでした。にもかかわらず変死を遂げたんです」

「知りすぎていた男を消したって事かしら」

リンの物言いに含むものを感じた。

「可能性はあります。ただ、時期としては、今さらという感が拭えません。しかし他の筋では、彼が中国政府を脅していたという噂もあります」

「それでは、アメリカ謀殺説が通らないだろ」

鷲津の指摘に、孫が答えた。

「陽明は大変な親日家で知られていました。隠居後も、香港日本友好協会の理事長は務め、活動にも熱心だったそうです。それに、大のアメリカ嫌いで、中国政府のアメリカ傾倒には痛烈な批判を繰り返しています。英龍がハーバードに進学した際、彼は親子の縁を切ると怒り狂ったとか。中国主導による東アジア共栄圏構想に奔走していたフシもあります。アメリカにとっては厄介な存在だったのでは」

「そんな程度じゃ、暗殺なんてやらないわよ。アメリカや中国相手に、長年集めた国家機密を交渉道具にしたんじゃないの。それなら、暗殺される可能性もある」

話の途中から、リンはとがめるような眼差しで鷲津を見つめていた。彼女が何を言いたいのか、鷲津にも理解できた。自分もまた、日本やアメリカの極秘情報を、交渉道具に使っている。それを非難しているのだ。

「長男の交通事故についてはどうなんだ」

「ひき逃げ事故で現場にブレーキ痕がなかったため、殺人の可能性は高い。なのに香港警察は、あっさりと事故死で片付けてしまいました」

やれやれ嫌なディールだ。終始一貫キナ臭い政治臭が漂い、陰謀の気配がまとわりついて離れようとしない。

「英龍については、どうなの。スパイの子はスパイ？」

毒の籠もったリンの皮肉にも、サムは表情を変えず淡々と答えた。

「英龍は政治や華僑的ビジネスに背を向けて生きてきたようです。ハーバードで法律を学び、卒業後はニューヨークにある数ヵ所のギャラリーオーナーとして成功し、中国人美術家については今や第一人者です。さらに近年は、ハリウッドに進出し、大型映画のプロデュース業も軌道に乗りつつありました。将家は一子相伝で、家業は一人が受け継ぎ、残りの兄弟は、財産分与を受けるのが慣わしです。英龍は分与された財産を自身のビジネスに投資して、アメリカに根を下ろした生活をしていました。アメリカ国籍を取得する準備すら進めていたようです」

そんな男が、なぜ急に父の事業を引き継ぐ気になったのだ。

これまでのディールで商売仇の経歴や家族構成など、今まで問題にしたこともなかった。だが、中国ビジネスの根源にあるのは個人と個人の深い人間関係だ。英龍が引き継いだ事業の規模だけでなく、父親の影響力も知る必要があった。報告を聞く限り、ファミリービジネスの継承は、英龍にとって青天の霹靂のように見えた。それにしては、上海で会った時の応対は堂に入っていた。

鷲津は、自棄《やけ》気味にマッカランをあおり、話題を変えた。

「一華と将父子の関係は、どうなんだ」

サムが冴えない顔で、孫に説明を促した。

「一華が幼い頃、陽明に育てられたのは間違いありません。ただ、他の息子たちとは隔離されていたようで、ごく最近までは、一華と英龍は互いに面識がなかったと思われます。また陽明は、工作要員として一華を使っていました」

「実のまごを、スパイの要員にしていたってこと？」

リンは露骨に嫌な顔をしたが、孫はこともなげに肯定した。

「そうです。中国人、中でも華僑の家族の絆は、相当なものです。特に将集団《コロンビア・キャピタル》は、主要ポストをすべて一族とその姻戚が占めています。同様に裏の仕事でも、陽明は身内を重用していました」

信用できるのは血の絆だけ、という発想は別に珍しくない。だが、常に危険に身を晒す工作員という仕事を、まごに与える神経は、鷲津にも理解できなかった。

「賀一華の場合、彼自身が若い頃から好んで裏社会に身を投じたところもあります。陽明も彼をもてあましていたようで、アメリカへの留学をあっさりと認めています。

ただ、その後ファミリービジネスから、彼を完全に切り離しています。マネーロンダリングの容疑で一華がアメリカからマークされたのは、将集団とはまったく無関係です。それどころか、一華を闇社会から足を洗わせるために、陽明は莫大なカネを積んだようです。その際、堅気の仕事は二度と与えないと宣言したとか。そういう経緯もあって一華を、日本での工作員に仕立てたようです」

英龍は「父の一番暗い部分を一人で受け継いだようだ」と一華のことを評していた。

誰にも愛されず、やることなすことが、周囲から疎まれる男。一華は生まれながらのジョーカーだったのかもしれない。

「それで、将英龍先生は、鷲津政彦に何の用があるというの」

リンの冷めたような口調に、男たちはただ顔を見合わせた。

4

二〇〇八年六月二四日　香港

香港島は、山を挟んだ北側と南側で、まったく別の顔を見せる。立錐の余地がないほどに高層ビルがひしめく北部とは異なり、反対側は浅水湾《レパルス・ベイ》や香港仔《アバディーン》などいかにもアジアらしい大らかなリゾート地が広がる。

将英龍の自宅に向かう鷲津は、香港仔隧道《アバディーン・トンネル》を抜けるなり眼を細めた。生き馬の目を抜くような北側でカネを稼ぎ、山を越えたリゾート地で穢れを濯《すす》いで、ゆったりと暮らす。カードの表裏のような土地の特性は、金融業界に巣喰うハゲタカそのものだ。香港ではほとんど知られていないアカマ・マーヴェルの後部座席に座る鷲津は、金融マンの終《つい》の棲家として香港が人気を呼ぶ理由を漠然と理解した。

結局、リンの激しい反対で、ホテルまで迎えに来た将家の車には乗らず、自前の車を急遽用意した。それにリンとサムが同乗し、将家の車に先導してもらった。

「東洋哲学をかじった端くれとして、父や古い友人に尋ねてみたの」

風光明媚な浅水湾を眺めながらリンが呟いた。リンの父は東洋哲学研究の権威で、現在もコロンビア大学で研究と後進の育成を続けている。

「中国、特に香港系の華僑に多いそうなんだけどね、彼らの行動は、すべて家訓に縛られているそうよ」

家訓という古めかしい言葉を聞いて、鷲津は皮肉な笑いを浮かべた。

「笑い話じゃないのよ。故郷を捨てて、カネと人脈だけで世界を渡り歩いた華僑にとって、家訓とは十戒みたいなもの。それを守り抜いた一族だけが、未来永劫の富を手に入れる」

「それで、将家の家訓が何か分かったのか」

リンは手帳と万年筆を取り出すと、達筆で漢文をしたためた。

青出於藍而青於藍

「青は藍より出でて藍よりも青し、つまり出藍《しゆつらん》の誉《ほま》れね。荀子《じゆんし》の教えよ」

「弟子が師匠を超えよ、すなわち、子が親を超えよという意味か」

鷲津の解釈に、リンは頷いた。

「元々は、〝勧学篇〟からの成句で、学んでも学んでも、まだ学ぶべきものがあると説いている。その先にこそ、出藍の誉れがあるという意味みたい。それで、もう少し将集団について調べてみたの」

昨夜、リンは珍しく、鷲津を一人で寝かせてくれた。隣室のツインベッドで眠ると言っていたが、このためだったのだろう。急にリンが愛おしくなって、鷲津は彼女を引き寄せた。

「将家の家督が、一子相伝なのは間違いない。でも、出藍を求める将家では、新しいビジネスに挑む者が真の嫡子になる。その嫡子がビジネスに失敗した時に一族が路頭に迷わないように、最も堅実な子供が先祖代々のファミリービジネスを継承する」

リンは、足下に置いてあったブリーフケースから英文のコピーを取り出した。

「死んだ陽明が、華僑系の雑誌のインタビューで、そう語っている。彼自身も大地主だった父を超えるためには、故郷を捨てて香港に渡るしかなかったらしい」

「では、将集団の本当の後継者は事故死した兄ではなく、英龍だったということか」

彼の頬に軽く口づけて、リンは鷲津を褒めた。

「既に彼は、ニューヨークとハリウッドのショービジネスの世界で頭角を現している。今までの将集団が手を付けなかった新しい分野を開拓したことは間違いない」

鷲津は腕組みをして、リンの洞察を分析した。あり得る話ではあった。リンが、さらに別の可能性を口にした。

「もしかすると、一華を暗黒の世界に放り出したのも同じ理由かもしれない。サラブレッドの息子と野良犬のまごの二人を競わせ、最後に生き残った者を将集団継承者にする」

怖い連中だ。だが、一族が生き残るためなら、時には大国相手でも駆け引きを挑む彼らとしては、当然のセーフティネットかもしれなかった。

「リン、それでおまえは、英龍のしたたかさに納得したのか」

リンは顔をしかめて頭を振った。

「納得まではいかないわね。でも、彼のバックボーンは、わかったように思うわ」

鷺津は、助手席でずっと黙り込んでいたサムを巻き込んだ。

「サムは、どう思う」

「傾聴に値する分析だと思います」

サムらしい言い回しに、力が抜けた。

「俺が何を訊きたいか、分かってるだろ」

「正直言って、私には中国人が理解できません。彼らは日本人よりむしろ欧米人に似ている気もします。しかし、似て非なる部分が多すぎます。アマチュアがいきなり出てきて、並み居る巨匠を打ち負かすという構図は悪夢ですが、あの国なら起きる気もします」

「つまり、知れば知るほど、連中は不可解極まるという意味だな」

鷺津は嘆息混じりに断を下した。

「だからあなたを、ますます行かせたくないわ」

リンの手が、鷺津の頰を包んだ。

「ならば、ますます行かねばならないだろう。奴が、本当に出藍の誉れを手にした男かどうかを、見極める必要がある」

「見極めてどうするの」

リンのとがめる目を見つめながら、鷲津は晴れ晴れと言った。

「お友達になるんだよ。そんな凄い奴を敵に回しても、何の役にも立たない」

「お気楽な男ね。のこのこ出かけていって消されても知らないからね」

リンの瞳が揺れていた。呆れと怒り、そして少しの哀しみが混じった瞳の色は、いつもよりもさらに深い碧《あおみどりいろ》色だった。

「安心しろ。堂々と自宅に呼びつけて殺す馬鹿はいない。俺を消したければチャンスはいくらでもあった」

沿岸部を走っていた車が、静かに停まった。目の前に鍊鉄の高い門が聳え、その向こうには、手入れの行き届いたグリーンが広がっていた。

「何だ、ゴルフ場じゃないか」

目的地と思って居住まいを正した鷲津は、呆れて運転手に声をかけた。

「しかし……前の車が」

突然、観音開きの大きな門が開かれ、先頭を行く将家の車が勢いよく吸い込まれていった。

5

「ご面倒をおかけして、お詫びします」

テーブルを挟んで立つ英龍は、流暢な英語でまず非礼を詫びた。鷺津は返事の代わりにシャンパングラスを掲げた。

「それにしても、さすがミスター・ゴールデンイーグルだ。KKLとCICというとんでもない怪物を、わずか五日ほどで丸め込んでしまうのですから。あなたと手を組んで本当に良かったですよ」

「交通整理をしただけです。それより厄介な半国営企業の颯爽汽車を、あっさり手中に収めた英龍さんこそ賞賛に値する」

鷺津は若い大富豪を見つめたまま立っていた。英国風のトラディショナルな趣の部屋と、英龍の黒いチャイナ服のコントラストは、どこか芝居がかった奇妙さだった。

「ラッキーだったんです」

「運も実力のうち。この大勝負でラッキーを呼び寄せる将さんの人徳と手腕はお見事というしかない」

英龍は、嫌みだと理解しているはずだった。それでも、彼はうれしそうに一礼した。本気で謙遜しているらしかった。タイミングを見計らったようにメイドが料理を運んできた。メイド服を着た女たちが黙々と準備していた。いちいち浮世離れしている。

鷲津は窓の外を見やり、夏の日差しに輝くフェアウエイを眺めた。英龍の邸宅には、一八ホールのゴルフ場がある。それだけではない。プライベートビーチにヘリポート、さらにはトレッキングコースからロッククライミング場、あげくに屋敷の背後の山の頂上に向けてロープウェイが伸びていた。しかも、これは賓客接待用の屋敷で、本邸は別にあると聞いた。途方もない豪邸も、ファミリービジネスが築き上げた財産の一つに過ぎないのだ。

「さて、英龍先生、そろそろ私が呼ばれた理由を伺えますか」

鷲津に食事を勧めた英龍は、前菜の鴨のローストを味わってから答えた。

「親愛と敬意を表したかったんです。ご存じかと思いますが、ここにお招きするのは心を許したお客様だけです。そして、ここで結んだ絆が一生続く」

面白い冗談だ。鷲津は笑いたくなる衝動をシャンパンで飲み下した。

「そんな古風な方とは思いませんでしたよ。申し訳ないが、私は猜疑心の塊のような人間だ。急に親愛を押しつけられると、かえって勘繰ってしまう」

英龍の眼が細くなった。それを取り繕うように、アメリカ仕込みの大袈裟な手振りを添えて、彼は語り始めた。

「古風なわけではありません。第一、鷲津さんほど義理や友情を大切にする方はいないじゃないですか。私から見れば、あなたは同胞のようです」

鷲津は食事の手を止めて、若き大富豪を見つめた。亜熱帯の土地らしい強い日差しが差し込んできた。その光が、英龍の半身に降り注いだが、残りの半身にはより深い影が生まれた。

「私はあなたに私淑してきました」

いかにも慎み深い態度だが、なにかを隠している気配が濃厚に感じられた。

「私は私淑されるほどの人物じゃない。既に、あなたは私を凌いでいる」

「誤解です。私は単なる傀儡《かいらい》に過ぎません」

鷲津は軽く挑発してみたくなった。

「どこまでもしたたかにして、謙虚。それが、将一族の家訓ですか」

家訓という言葉に、英龍は明らかに反応した。彼は身を乗り出すようにテーブルに両肘を突いた。

「さすがですね。いかなる時も相手の急所を外さない。まさに私を操っているのは、家訓という呪縛です」

英龍の口調に熱が籠もった。

「あなたは、ある疑惑を持ってここにやってこられた。将英龍とは何者なのか。こんな小僧が、本当に今回のディールを陰で操っていたのか。答えは出たはずだ、すなわち、あり得ない。実際の英龍はこの程度の男ですよ」

英龍の口調に、好戦的な匂いはなかった。

「今回の壮大な絵図を描いたのは、死んだ父です。私は、ただ彼の台本通りに行動しただけです」

鷲津の頭の回路が反応した。今まで考えていなかった別の可能性が浮かび上がってきた。

「あまり驚かれないんですね」

英龍は嬉しそうだった。

「いや、驚いていますよ。私は感情が表に出ないたちなんです」

「ようやく腑に落ちたという顔をされている」

謙遜合戦をしても埒が明かない。鷲津は両手を広げて同意を示した。

「否定はしない。それが本当ならば見事な傀儡ぶりだった」

英龍は小さな鈴を鳴らして人を呼ぶと、紹興酒を用意するように告げた。

「話してくれますか、その壮大な計画とやらを」

流れるような優美な手つきで、残りの前菜を互いの皿に取り分けながら、英龍が話し始めた。

「父は若い頃、日本の特務機関に雇われていました。しかし、実際は中国共産党の二重スパイでした。おかしいでしょう。大富豪の次男が本気で共産主義を信奉し、自らの命を捧げるなんて。しかし、理想主義者の父は、共産主義こそ大中華を復活させる手段だと信じていました」

筋金入りの共産主義者の中には、ブルジョア出身者が少なくなかった。彼らは身内の浪費や選民思想に対する反抗心と、貧困な民衆に対する負い目で、過激な運動に夢中になるのだという。おそらく将陽明も、そういう志士の一人だったのだろう。

「大富豪の家に生まれた反動で、父が共産主義に走ったわけではありません。中国人民の気質を見極めた上で、戦後復興には共産党が必要だと考えたようです」

ことごとく自身の予想が覆された鷲津の見立てはここでも外れていた。

「中国人は現世利益を大切にします。端的に言えば、カネです。カネだけが自分たちを幸せにすると信じていますし、カネを稼げる男こそ尊敬されます。しかし、我が国はカネで不幸になった。アヘン戦争の悲劇を生んだのもしかり、日本を含む列強に蹂《じゅう》躙《りん》されたのも、カネへの欲望につけ込まれたからです。若い頃から香港の貧民窟で救済活動を行っていた父は、貧困は人から理性も品性も奪いとり、殺人を犯しても罪の意識を持たない鬼をつくると言っていました。国家再興のためには、人民の欲望を抑える必要がある。やがてその重石《おもし》として共産主義こそベストだと考えた」

中国の富豪に対しては、自己中心的で傲慢だという印象を持っていた。だが、その認識を改める必要があるのかもしれないと鷲津は思った。

「父が日本や香港でスパイ活動を続けていたのも、愛国心からでした。無論、中国共産党が内部に孕む腐敗や不正を、知らなかったわけではありません。それでも人民の欲望を抑え込めるのであれば、必要悪だと考えていた。ところが、鄧小平《ドンシヤオピン》が登場し、中国は一気に資本主義に走り、拝金主義が横行する欲望大国が生まれてしまった」

英龍の話に、過去三〇年ほどの中国現代史を重ね合わせて、鷲津は聞いていた。

文化大革命で再起不能に陥りかけた中国は、毛沢東《マオツエドン》の死を境に、急旋回で資本主義経済を取り入れた。南巡講話という鄧小平の有名な演説により、改革開放政策はまず沿岸部南部の都市から始まった。

さらに鄧の「先に豊かになれる人から豊かになれ」という先富論が、金科玉条のようにもてはやされ、二一世紀の到来とともに中国は経済大国へと変貌した。

「ＩＴ長者の若者は年長者を敬わなくなり、企業は皆、先進国の技術やノウハウを真似するばかりで、一向に自らの技術を磨く努力をしない。そのありようを父は嘆きました。

何度も、党幹部に意見したそうです。強権を発動して、カネに狂って破滅していく人民を抑制せよと。しかし、ことごとく却下された。私から見れば、却下されて当然です。なぜなら、既に党中央自身が欲望を抑えられなくなっていたからです。父は中国に絶望しました。絶望した男が何をやるか。鷲津さんもよくご存じのはずだ。父は、あなたと同じことをしようとした。すなわち腐ったこの国を、理想郷に生まれ変わらせる――」

6

腐ったこの国を、理想郷に生まれ変わらせると聞いて、鷲津は思わず手を叩いていた。どう考えても、陽明と鷲津の人生観は違いすぎる。英龍は期待はずれの反応をした鷲津の態度に不快感を露わにした。

「失礼した。だが私は、お父様とは器が違う。むしろ欲望に突き動かされて、ニッポンを買い叩くとうそぶいたにすぎない」

英龍は何も答えず、運ばれてきたばかりの料理を皿に取り分けるようにメイドに命じた。

「お口に合わないかもしれませんが、温かいうちに召し上がってください」

そう言いながら、自分は一向に箸をつけなかった。

「あなたは大変な皮肉屋だ。ご自身の気持ちを絶対に正直に言わない。それどころか偽悪趣味がおありのようだ」

「そして大法螺吹きでもある」

これ以上言っても埒が明かないと諦めたらしく、英龍が大きなため息を吐いた。

「まあいいでしょう。ここで議論しても致し方ない。父の話に戻しましょう。中国が真の意味で先進国になるための青写真を、父自身が考えました」

「それが、今回のアカマ買収だと」

英龍は嬉しそうだった。

「父は、かなり早い段階から、二一世紀にビッグスリーは生き残れないと見ていました。私も、アメリカの自動車業界の動向を遂一調べ、父の予測は正しいと理解しました。すなわち、いずれアメリカはアカマを狙うのではないか、と考えたんです。ならば、一足先にアカマを手に入れておけば、日米の主要自動車メーカーをすべて手中にするのも夢ではない」

鷲津ですら、その構図に気づいたのは最近のことだ。陽明の洞察力に感心した。

「颯爽汽車にも、目をつけていたのか」

「父はごまんとある中国の独立系のメーカーを訪ね、その実力を測っていました。日本の自動車メーカーのOBを同行してね。そして、見つけたのが颯爽汽車でした。88《ラッキーエイト》は、まだまだ課題が多いものの技術革新に熱心で、中国のアカマを目指していた。かつての日本の自動車メーカーと同じ輝きが颯爽にはあると、同行した日本人が賞賛したそうです」

自己資産だけで一兆ドルをくだらないという大富豪が、中国の地方都市に点在する自動車工場を行脚したという話は、将陽明という男を知るエピソードだと感じた。生きている間に、会ってみたかった。

「そしてこのメガディールをいずれあなたに任せたいと考えていました。アジアと欧米の両方のメンタリティが分かる買収者は、世界であなたしかいないと」

「買い被りだ」

「父は九〇年代の終わり頃から、あなたに注目していたようです」

「冗談はよしてくれ。あの頃の私は、日本の不良債権に群がるチンピラに過ぎない。将陽明の目に留まるような振る舞いをした記憶はない」

王烈が現れるまで、鷲津は中国の富豪や政府にマークされているなどという自覚がまったくなかった。それが九〇年代から注目されていたなどというのならば、気づかなかった自分は、まるでアホだ。

「父があなたに注目したのは、互いに同じ獲物を追いかけていると知ったからです」

話のせいか食事のせいか、胸焼けがしてきた。鷲津は皿を脇に押しのけ、紹興酒をあおった。

「ハンティングの趣味はない」

「戦後復興という隆盛の地下水脈、すなわち政財官の要人たちを泥まみれに汚し、またその人生を翻弄してきた情報、いわゆる飯島メモです」

それまでは頭の中をかき回されているようだったが、その一言を聞いた瞬間、肝が据わった。

「ほう、そんなメモがあるんですか」

とぼけてみせると、英龍は反論する代わりにお茶のさし湯をメイドに命じた。すぐに白磁のポットに熱湯が注がれ、湯気が靄のように立ち上った。

「日本のみならず、欧米先進国を揺るがすほどの情報を、一人の民間人が守っている――。さすがの父も想定外だったようです。そのため、あなたに先を越されてしまった」

鷲津は黙殺して、湯気を眺めていた。

「父は相当悔しがった。しかも、あなたがメモを入手したという情報を摑んだ時には、既にあなたは日本から姿を消していた」

当時の記憶が、鮮明に蘇ってきた。

「それで、アラン・ウォードに狙いをつけたのです」

予想していた話の展開にもかかわらず、鷲津の感情がざわついた。やはりアランは俺の身代りに殺されたということか。紹興酒の入ったグラスを持つ手に力がこもった。

「まさか」と思わず漏らすと、英龍が頷いた。

「美麗です。父は、アランを籠絡し、飯島メモを奪うよう、美麗に命じました」

感情のうねりに襲われた鷲津は、無意識に手を振り払ってしまいグラスを床に落としてしまった。メイドが駆け寄ってきたが、英龍が無言で制し冷笑していた。

「飯島メモについては、アランはなにも知らなかった」

鷲津は、独り言のように呟いた。

「らしいですね。しかし、彼はあなたの右腕、いや、弟のような存在だった。父はアランが何かを知っていると思い込んだ」

何も知らない人間の口を割らせることは不可能だ。だが、知らないことを知らなければ、どんなことをしても口を割らせようとする。どんなことをしても——。

英龍の冷たい目が、鷲津をまっすぐに見ていた。こいつは、俺が感情的に取り乱すのを待っている。そう直感した瞬間、鷲津は理性を取り戻した。

「ところが父も予想がつかないことが起きました。美麗が本当にアランに恋してしまったのです。二人は心から愛し合いました。アランが彼女のためにならなんでもやると分かった瞬間、父はアランの口を割るために、彼の目の前で美麗を責めるよう一華に命じたのです」

どいつもこいつも狂ってる。そんなことまでしなくても、飯島メモなんていつでもくれてやったのに。うなるほどのカネと国家権力すら動かせるスパイマスターがなぜ、俺を見つけ出せなかったんだ。

「あなたのお怒りは、痛いほど分かります。だが、あなたは知るべきだ。一体あの夜、京橋駅でなにがあったのかを。私は、家訓に踊らされた傀儡だと申し上げた。我が家の家訓の一つは、父親の遺言は完遂せよです。亡くなる一週間ほど前、私は東京に呼び出され、計画の一部始終を聞かされました。もしもの時は父に代わって、計画を最後までやり遂げなければならないと」

バカバカしくて答える気にもなれなかった。

「私は父の遺言通りにことを運ばねばなりません。だが、それはあなたを許す理由にもなる」

「悪いが、私は君に許してもらういわれなどない」

英龍がうわずった声で返した。

「父と兄が死んだのは、あなたのせいです」

鷲津はばかばかしくなって、タバコをくわえた。

「どういう経緯かは知りませんが、その後、父は飯島メモを手に入れたんです。父はメモを武器にして、アメリカ政府を動かすつもりだった。同時に母国のために行ってきたスパイ行為を公表すると中国政府に迫り、ＣＩＣをコントロールすることを目論んだんです」

――北京という説と、ワシントンという説があります。

陽明の死因の捜査に圧力をかけた相手が特定できないとサムが言っていたのを、鷲津は思い出した。

「私とは無関係な話だ。復讐したいのであれば、お父上を消した相手にしたまえ」

「そうかもしれません。だが、あなたがいなければ二人は死なずに済んだ」

煙と共に嘲笑が漏れた。

「言いがかりとしか思えないね」

「あなたがいなければ、父はこんなバカげたメガディールを思いつかなかった」

英龍が突然、吠えるように叫んだ。

「何を言っているんだ」

「あなたのことを調べれば調べるほど父は惹かれ、最後は畏敬の念さえ持っていた。

けっして中国では生まれ得ない男だと、あなたに惚れ込んだんです。そして、あなたに協力を仰ぐためのお膳立てを進めているさなかに、父は排除されました」

「悪いんだが、英龍。頭の悪い俺にも分かるように、順序立てて話してくれないか。おまえは、アランを殺したのは父親の陽明だと言っているんだよな。俺の親友を殺しておきながら、俺に惚れ込むだの、協力を仰ぐだの、あんたらの神経が理解できない」

ひとり熱くたぎっていた若き大富豪が、冷水を浴びせられたような顔になった。

「失礼しました。つい感情的になってしまいました。おっしゃるとおりですね。私の説明は支離滅裂だ」

お茶を一口飲んで息を整えた後、英龍が再び話し始めた。

「アランさんを殺害したのは、一華です」

激しい痛みが胸を襲った。だが、鷲津は表情を崩さなかった。

「無論、彼に自白を強要したのは父ですが、事件当夜、父は日本にいませんでした。代わりに一華がいました。美麗をいたぶっても、求める情報得られず、一華は焦っていました。その結果、拷問に近い追及になったようです」

鷲津は紹興酒をなみなみと茶碗に注ぐと、一息で飲み干して、何も考えないよう思考を止めた。

「そして、わずかな隙をついて、二人で逃げ出したんです」

安っぽい映画のような話だった。だが真実とは安っぽいものだ。

「不幸だったのは、大量の自白剤のせいでアランさんの状態が悪く、入線してくる地下鉄の轟音に過剰反応して、飛び込んでしまったことです」

あっけない話だ。リンにいじめられて、ふて腐れていたアランの顔を思い出した。

そういえば熱海のボロ旅館も、一緒にデューデリしたな。

英龍に観察されているのに気づいて、鷲津は全身の力を抜いて首を傾げて見せた。

「親友の死を悼む男の顔が珍しいか」

怯えたように英龍は視線を逸らした。

「そんなつもりはありません。ただ、分かっていただきたいのは、父にも美麗にも、アランさんを殺すつもりはなかったと言うことです」

「だが、アランは死んだんだ。その事実は揺るがない」

しょげ返った英龍は、手元をじっと見つめていた。

「じゃあ、君の父親は、その罪滅ぼしをおまえに命じたとでもいうのか」

「そうではありません。父にそんな人間的な感情はありません。あれは、残念な事故でしかない。不始末をしでかした一華は中国に戻されました。美麗は事故の後、絶望のあまり精神を病んでしまいました。父はやむなく、彼女の記憶を消すよう国家安全部の精神科医に指示したのです」

それが、鬼のような父親の歪んだ愛情なのか。鷲津は気分が悪くなった。

陽明が黒幕であれば、不可解だった様々なことも腑に落ちる。彼の血族である英龍と一華、挙げ句に中国嫌いのアルを引き込めたのも、陽明が中心にいたからなのだろう。

それでも分からないのは、なぜ自分がここに呼ばれているかだ。

「いろいろからくりは見えてきた。だがな英龍。こんな話は全てが丸く収まってから開陳すべきことだぞ。普通の人間なら、こんな話を聞いたらアカマ自動車の買収劇にも支障をきたす」

英龍が、まっすぐに鷲津の目を見ていた。

「でも、あなたは並の人間じゃない。そして私はあなたがこのプロジェクトを託すに値する人間かどうかを見極めよと父に命じられたんです。あなたが、本当に父が見込んだ程の男かどうかを」

涙ぐましいほど忠実な傀儡の目が、なぜか哀しそうだった。鷲津はそれでも同情する気にはなれなかった。

7

英龍が立ち上がり、背後のスライドドアを開いた。そこに二人の女性が立ってい
た。一人は美麗で、一人は上海で会った女性だった。その組み合せがあまりにも突飛
で、鷺津は不覚にも声をあげてしまった。
「改めて義妹の美麗です」
鷺津が思わず数歩近づくと、美麗は怯えたように後ずさりした。彼女はおそらく、
ドアの向こうで今の話を聞いていたはずだ。
「元気そうでよかった」
不幸な女にかける言葉ではなかったが、他に言葉が浮かばなかった。
「さあ、シャーリー。これは美麗のためであり、鷺津さんのためでもある。そして、
死んだアランさんのためでもね」
戸惑いを隠しきれない様子の謝慶齢に、英龍が声をかけた。
表情を強張らせた慶齢は、ゆっくりと鷺津に近づいた。

「きみがなぜ、ここにいる」

慶齢は何も応えなかった。上海で会った時とは別人のように、青ざめた顔だった。

一体、なにが始まるんだ。英龍に目顔で問うたが、香港の大富豪に答える意思はなさそうだった。彼はいつの間にか手にしていたテープレコーダーの電源を入れた。

「美麗の記憶を蘇らせるんです。あなたに知る勇気があるならば、黙って美麗を見守ってやってください」

たどたどしくはあったが確かなタッチで、スタンダードジャズの名曲が流れ始めた。家庭用のデッキで録音したようなノイズが耳についた。“It's only a paper moon”この曲に一体どういう意味があるのだ。

美麗も混乱しているのだろうか、彼女の眼球は常人離れした動きをしていた。心配になって近づきかけた時、それは起こった。

「ダメよ、アラン！　死なないで！」

声を失っていたはずの美麗が悲鳴をあげた。初めて耳にする美麗の声は、想像していたよりもハスキーだった。

「お願い、アラン！　死なないで！」

彼女はその場に崩れるように座り込んでいた。記憶が戻ったのかと思いながらも、あまりに激しい彼女の錯乱に、鷲津は動揺していた。うずくまって泣く美麗の肩を抱こうとした。だが、彼女はもの凄い力でそれを振り払うと、泣き腫らした目で鷲津に摑みかかった。

「アランを返して。どうして、どうして自分だけ逃げたんです。なぜ、アランを一緒に連れて行かなかったのよ」

「これはどういうことなんです。なぜ、美麗の声と記憶が戻ったんです」

しびれたように動かなかった鷲津の脳が、慶齢の言葉に反応した。

「君はどうして美麗を知っているんだ」

「私が日本にホームステイしていた時に、知り合ったんです。アランさんと美麗さんには、とても可愛がってもらいました」

肩を震わせて喘いでいる美麗のそばに慶齢が駆け寄り、いたわるように背中を撫でていた。

英龍が説明を始めた。

「国家安全部の精神科医は父と相談して、記憶を取り戻すキーを三つ設定したんです。あなた、シャーリー、そしてペーパームーン」

鷲津は鍵の意味を訊ねた。

「互いにまったく無関係のキーです。事件当時、美麗が持っていた三枚の写真の一つに慶齢が写っていた。彼女が北京大の学生だった頃の写真です。日本でホームステイした時に、美麗と親しくなったようです。そして、あなたの顔写真。大切な人間に試練を与える父は、あなたの強さを試したかった。だから美麗の悲劇の記憶を蘇らせる引き金役にしたのです。ペーパームーンのテープは、子供の頃の美麗の演奏を録音したものです。その三つが同時に揃った時に記憶が蘇るように暗示した後に、彼女は記憶を喪失させられたんです」

「じゃあ、私が鍾論さんに雇われた理由は、このためだったんですか」

慶齢の目が怒っていた。

「申し訳ない、その通りだ。亡き父に代わってお詫びする」

慶齢がいきなり立ち上がって英龍の頬を平手打ちした。

「私のような新人に、あんな大きな案件をいきなり任せるなんて変だと思ったんです。こんなひどいことのためだったなんて」

「この償いはするよ、シャーリー。短い期間だったけれど、君の弁護士としての手腕は素晴らしかった。君になら安心して仕事を頼める」

平然と懐柔しようとする英龍に向かって慶齢が再び手を上げたところで、鷺津が止めた。

「君の手をこれ以上汚しても意味がない。この男には血が通っていないんだ」

慶齢は深いため息を吐いた。肩がかすかに震えていた。知りすぎたことで、人は不幸になる。だが、それでも人には知らなければならないことがある。

鷲津は慶齢の肩に触れた。だが月並みな慰めの言葉をかけるつもりはなかった。

「アランを殺したのは私です。私が……」

不意に美麗は言葉を詰まらせ声を上げて泣き始めた。だが鷲津には声を上げて泣く資格も、彼女の肩を抱く資格もない。ただ、冷然とこの場をやり過ごすことが、自分に与えられた役割だと思っていた。

「気が済んだか」

鷲津は、英龍の胸ぐらを摑んでいた。そして勢いよく突き放したせいで、英龍はバランスを崩して床に転がった。

鷲津の背後で人の騒ぐ声がして、誰かが駆け込んできた。

「美麗！」

リンだった。サムと共に別室で待っていたのだが、異状を察して様子を見に来たらしい。彼女は駆け寄って美麗を強く抱きしめた。碧《あおみどり》の目が、阿修羅のように燃えていた。

「一体、この娘《こ》になにを」

「リン、あとで話す。ここでそれを蒸し返すのはやめてくれ」

リンはそれ以上何も言わず、美麗を抱きかかえたまま連れ出そうとした。

「あなたも一緒にいらっしゃい」

声を掛けられた慶齢が、戸惑うようにクライアントを見た。まだ床に尻をついたままの英龍が頷くと、リンの後に続いた。

鷲津に見下ろされた英龍は、大きなため息を吐いた。口元が震えていた。

「これが私の使命だったんです。どうかご容赦ください」

「ふざけるな」

英龍が息を呑んだ。

「いいか小僧。将家の家訓なんぞ、クソ食らえだ。そんなことのために人を絶望の淵に追いやるなど、俺は絶対に許さない」

鷲津は背を向けた。

「あなたは後悔していないんですか」

英龍が呼び止めた。鷲津は深呼吸してから振り向いた。

「人生は後悔の連続だ。それで潰れている暇はないんだ。いいか英龍、家訓に一つ足しておけ。憎しみからは何も生まれない、とな。アランの復讐なんてしない。アランは女の誘惑に負けて命を落とした。それだけだ。明日、しっかりと仕切れよ」

それだけ……。本当にそれだけなのか、政彦。彼の頭の中に棲むもう一人の自分が、容赦なく責めてきた。

〝そうだ、それだけだ。人はつまらぬことで死ぬんだ。それが人生だろ〟

鷲津は吐き捨てるように言い残し、部屋を出た。ドアを閉めた瞬間、めまいがしたが、立ち止まらなかった。

哀しみや罪の意識とは無縁に生きる。鷲津はそう決めていた。

8

二〇〇八年六月二五日　香港

人は高い場所から見下ろしたがると言うが、大内は香港の高層ビル街にはどうも馴染めなかった。

猫の額ほどの平地はもちろん、山の斜面、頂上付近にまで平気で高層ビルを建てる。昇り龍よろしく天を目指すという心意気だと解釈すれば良いのだろうが、大内には神をも恐れぬバベルの塔にしか思えなかった。

その中でもひときわ高い国際金融中心二期《センター2》の上層階にある会議室で、アカマの首脳陣の一人として大内は参加していた。

地上八八階、地下六階、高さ四一五・八メートルのガラス張りのビルは、香港市街を一望するビクトリアピークの山頂展望台とほぼ同じ高さだ。確かに眺望は抜群だ。だが、この高さは人間が生息する場所ではないと、大内は本能的に怯えた。

ＫＫＬによるアカマ買収提案情報がメディアに流れて一〇日、正式発表のないままこの日を迎えていた。既に百華集団によるＴＯＢは取り下げられていたが、彼らが取得した一二％ほどの株は、そっくりホライズン・キャピタルが買い取っており、ＫＫＬが本気なことを裏付けた。

ＴＯＢが頓挫したことで新株予約権発行も中止となり、それによって、一旦は六％台に落ちていた百華集団の保有率も元の一二％に戻ったが、そのことがアカマにとってはむしろ脅威だった。新株予約権の発行は、定款で特別委員会が敵対的とみなす相手がＴＯＢを仕掛けた場合にしか適用されないため、現状ではカードが切れなかった。

ＫＫＬが正式な買収提案の発表を控えている理由については様々な憶測を呼んだが、当事者であるアカマの首脳陣も真相は知らなかった。ただ、ＫＫＬの総帥アルバート・クラリスから挨拶の電話を受けた翌日、鷲津が密かにニューヨークに飛んだことに、大きな意味があったのではないかと大内は考えている。

三日前、疲労の色はあるものの以前よりもさらにふてぶてしい印象が強くなった鷲津が、東京支社を訪ねてきた。そこで説明された日米中三ヵ国による国際自動車ファンド構想を、大内はただただ驚きながら聞いた。

――このファンドと研究所の設立によって、ＫＫＬもＣＩＣも、アカマ自動車に買収を仕掛けられなくなります。

大内同様、不可解きわまりないという様子で説明を聞いていた古屋が、理由を質した。その時に見せた鷲津の笑顔を、大内は忘れられない。偉業を成し遂げた人が見せる充足感のようなものが滲んでいたからだ。

――アカマの技術力と企業努力の勝利です。アメリカのビッグスリーも中国の自動車産業も、アカマなしでは未来がない。ならば、アカマに恭順の意を示す方が得策だと気づいた。それだけです。

大騒ぎをした落としどころが、それだけのはずがない。もしそうならば最初から正々堂々と表玄関をノックすれば済んだはずだ。何度もそう考えたが、そんな簡単な交渉もできないのが、現実の社会であることも痛いほど分かっていた。権謀術数を張り巡らせた結果だからこそ、今日のように関係者のトップが一堂に会する交渉が実現するのだ。

「さて、本日はお忙しい中、ご参集いただきありがとうございます」

香港最大の財閥グループ将集団《コロンビア・キャピタル》を率いる若き総帥、将英龍がにこやかに開会を告げた。

初めて見る人物だった。だが鷲津の話では、彼こそが、各国の政府と企業を繋ぐ扇の要《かなめ》らしい。将は、サムライ・キャピタル、KKL、将集団と、出席者の所属を含めて丁寧に紹介し始めた。なにより驚いたのが、国家発展改革委員会の幹部が中国代表として列席したことだ。CICは煙のように消えていた。

「皆さんは、鷲津氏とそれぞれ個別にお会いになり、彼の提案を承認された上で、ご出席になっていると理解していますが、それでよろしいですか」

――本来は、絶対に顔を合わせない人間を一箇所に集める。それで互いを牽制しながら裏取引を封じ込む。そうしなければ、今回のディールは泥沼化してしまうことになります。

この頂上会議の大立て者である鷲津はそう説明した。

ＫＫＬ総帥アルバート・クラリスだけがひとり陽気に振る舞っていたが、ホライズン・キャピタル代表をはじめ他のスタッフは一様に面白くないようで、時折鷲津に向ける視線には、明らかに怒りがこもっていた。

将集団の中には、百華集団の一人として見覚えのある中国人が無表情で押し黙っていた。そして、中国政府の代表は、終始朗らかな印象を与えようとしていたが、彼らの目を見ている限り、言いたいことが山ほどありそうだった。

とはいえ、誰一人として将に異議を唱えなかった。将はホストらしく慇懃に礼を述べると、基本合意書の内容について読み上げた。

「一つ、ＫＫＬおよびＣＩＣ、並びにサムライ・キャピタルは、アカマ自動車に対するＴＯＢを、以下の条件を満たしている限り行わないことを約する」

条件とは――、

前記三者から出資された資金により、米中日国際自動車産業支援ファンド（ＩＡＩＳＦ）を設立すること。その事務局はＫＫＬに委ねられる。さらに、投資行為や企業再生のためのプラン作成は、各社の代表者が合議の上決議する。

同ファンドの最初の投資案件として、米中日自動車技術研究所の設立が挙げられていた。ビッグスリーとアカマ自動車がそれぞれ技術者を派遣し、ＩＡＩＳＦの投資先に対してアドバイスを行うと同時に、世界中の自動車メーカー並びに部品メーカーに対するコンサルタント業務を行う。

続いて、アメリカでは、ビッグスリー三社の同時プレパッケージ再生を行う。中国では東亜オートと颯爽汽車を合併して新会社を設立し、クリーンディーゼルエンジン搭載の国際競争にたえうる中国オリジナルブランド車を開発する。そしていずれのプロジェクトについても、アカマ自動車は、技術的、人的サポートを惜しまない――。

ここには記されていないが、ＩＡＩＳＦの資金の大半は、ＣＩＣが本来アメリカ政府に貸し付けるつもりだった五〇〇〇億ドルが充当される。他からの資金は合計で一〇〇〇億ドル程度だった。

アメリカはビッグスリーの再生を、中国は多額の資金投資と自国ブランドの開発という厳しい使命を、それぞれに抱えている。一方、アカマは、ＭＢＯする東亜オートを中国に移転する程度で、負担は皆無だった。それどころか、この仕組みが動き出せば、アカマは世界の自動車産業の中心となる。

中国やアメリカのファンドに買収されるというギリギリまで追い詰められた企業が

辿り着いたゴールとしては、あまりに話がうますぎた。

今回のディールでアカマの金庫株と第三者割当増資分の株を引き受ける鷲津は、約二〇％強の大株主になる。その上、東亜オートとアカマ・ディーゼル二社のＭＢＯを引き受けたファンドの実質的なオーナーでもある。

言ってみれば、アカマに悪い虫が付かないための用心棒として、鷲津を雇ったようなものだ。結果的には、サムライ・キャピタルは、兆単位の利益を上げることになるのだろう。だが、これからアカマが手に入れる世界市場に比べれば、安い費用だった。

「それでは、皆さんよろしいでしょうか」

将の合図で、代表者が立ち上がった。いよいよ世紀の基本合意書にサインがなされるのだ。

隣の古屋が、毅然と立ち上がった。

9

二〇〇八年一〇月一日　山口・赤間

「アカマ自動車は、本日、一〇月一日をもって、現社長である古屋貴史が社長を退任し、副会長に就任することを、取締役会で決議いたしました。なお、古屋は、来年四月に中国で設立いたします東亜オートと中国・颯爽汽車の統合会社のＣＥＯに就任いたします」

雛壇の下手から会場を眺めていた大内の胸がいっぱいになった。誰もいなければ号泣したいぐらいだった。

アカマ買収交渉問題が一段落し、ＩＡＩＳＦが無事に設立されたのを受けて、古屋は辞意を表明した。大内は役割上、必死で引き留めたが、心の内ではほとんど諦めていた。だが、古屋が中国の新会社のＣＥＯを引き受けるとは思ってもみない展開だった。

――懺悔や恩返しじゃない。これは私のロマンだ。もう一度、クルマに夢を託して、働きたいんだ。

古屋はそう言って、屈託なく笑った。自動車に注ぐ古屋の情熱の大きさに、改めて大内は尊敬の念を抱いた。凄い人だ。素直にそう思った。

唯一心残りなのは、大内自身がアカマに残ることだった。行動をともにすると言った時、古屋から強く止められたのだ。そしてまたもや新しい使命を押しつけられ、大内は今日から、企画担当専務になる。

――お前は最後まで見届けてくれ。それが成《しげ》ちゃんの使命だよ。

広報室長が、人事の説明を続けた。

「現在、技術開発本部長を務める副社長の旅田光一《たびたこういち》が、新社長に就任いたします」

アカマは、アカマに関わる全ての人の心の拠り所であり続けたい。創業者が目指したアカマの姿勢だ。企業とは、多くの人に支えられ生きる生命体だ。従業員や消費者がアカマを本当に必要だと思っている限り、企業は生き続ける。だが、彼らに不要と思われた瞬間に、企業としての生命は閉じる。その可能性を常に忘れず、我々は努力すべきなのだ。そういう意味で今回の騒動は、アカマ自動車という生命体を、社会が本当に必要としているのか否かを自他共に問う出来事だったと言える。

その答えを探し求めて、これからも歴史を刻んでいくのかもしれんの。

会場から湧きあがる拍手と熱気が、大内を包み込んだ。

10

記者会見場の後方で古屋のスピーチを聞きながら、なんとか今回も生き残れたと鷲津は胸の内で呟いた。

大内や古屋は英雄的行為ともてはやしたが、鷲津にそんな実感はなかった。彼が目指すビジネスモデル、さらには今後の投資環境を乱すような誤った先例を作らないために汗を流しただけのことだ。これで鷲津を指して濫用的買収者などと言う者はこの国にはいなくなるはずだ。

それを考えれば安いもんだ。勿論、ビジネスとしても成功だった。クラウン・ジュエルの受け皿として選んだ二社に深い意味はないとアカマ側には説明したが、理由が一つだけあった。いずれもあまりにも株が割安で、少し企業に手をかけるだけで、株価が数倍に跳ね上がる可能性を持っていた。東亜オートが、アジアやアフリカさらに中米市場に進出すれば、圧倒的な利益を得るだろう。

アカマ・ディーゼルもしかりだった。ハイブリッドカーが主力であるために、アカマはクリーンディーゼルエンジンをトラック搭載用としか考えていなかった。ところがサムライ・キャピタルで調べたところ、アカマ・ディーゼルの潜在力は世界最高峰に近いという。ヨーロッパ車の主力は完全にクリーンディーゼルエンジンであり、中国市場でこのエンジンを売ることも可能になる。

　いずれも三年も保有すれば、最低でも株価は五倍から七倍にはなる。そして、連日高騰を続けるアカマ株という、もっと手軽にカネになる宝もあった。

　会見が終わると、大内がにこにこしながら近づいてきた。

「いやあ、鷲津さん、このたびは本当にありがとうございました」

　相変わらず無骨まっしぐらの大内は、感極まったように鷲津の華奢な手を握りしめていた。

「お役に立てて光栄です」

「今晩のパーティには、ぜひ出席してくださいよ」

「申し訳ない。急遽ニューヨークに行かねばならないんです」

　もっともらしい理由をつけて辞退すると、大内は心から残念そうな顔になった。

「後ほど古屋さんには、ちゃんとご挨拶させていただきますよ」

　そう言って背を向けた時だ。大内が思い出したように鷲津に近づき、耳元で囁いた。

「実はここだけの話なんですが、アメリカの深刻な不況の影響で、弊社の業績が急激に悪化して、今期は赤字転落になる可能性があるんです」

しまった、と思ったときは遅かった。この男ののんきな顔にだまされた。インサイダー情報だった。それを知った以上、鷲津はアカマ株を売ることができなくなってしまった。

大内はただ情けなさそうに頭を下げるばかりだった。鷲津は彼の厚い胸板に拳を軽くぶつけた。

「大内さん、やるじゃないですか」

赤間市は見事な秋晴れだった。おのれの愚かさに耐えられず、本社ビルを抜け出して散歩道を歩き出した鷲津には、その青さも憎らしかった。何もかもがバカらしくなった。

結局、知りすぎていた男は、貧乏クジを引くわけか。

無情なほどに澄み切った青空を見上げながら、鷲津政彦はままならぬ浮世の不条理を笑い飛ばした。

謝辞

今回も多くの皆様からひとかたならぬご支援を戴きました。心よりのお礼を申し上げます。

本当にありがとうございました。

拝借したお知恵を小説にうまく反映することができたのかどうか甚だ心許ないのですが、皆様の想いをしっかり受け止めながら、作品と格闘して参りました。至らぬ点もあるとは思いますが、ご海容ください。

お世話になった方々お一人お一人とのご縁をご紹介したかったのですが、敢えてお名前だけを列記致しました。

村尾龍雄、徐暁青、西村典子、王建中、陳言、西村豪太、石橋明佳、若松友紀子、赤井厚雄

新井敏之、増田由希子、田邊政裕、マニコ・リム

泉京鹿、孫田夫、峯村健司、小泉博之、加藤嘉一、王田、津上俊哉、大工原潤

森一道、大塚純、江見淳、安嶋明、バラス・ステファニー・順子、沢井智裕

山口博嗣、澤田英輔、澤田容子、田中信彦、須藤みか、武内隆明、岩田泰
ヘンリー・ピカソ、芹澤和美、轡田洋子、土江英明
野村明弘、㈱ボッシュ（廣瀬眞司、小西宏典、藤田一郎、田中順子）
飯田洋子、久村美穂、片桐望美、金澤裕美、柳田京子、倉田正充、積田俊雄

【順不同、敬称略】

二〇〇九年四月上海にて

主要参考文献一覧（順不同）

浜田和幸『北京五輪に群がる赤いハゲタカの罠－暴走機関車・中国の世界覇権戦略』（祥伝社）
小森正彦『国富ファンド・ウォーズ－「彼ら」は日本で何をしようとしているのか』（東洋経済新報社）
芹澤和美『マカオ・ノスタルジック紀行』（双葉社）
中川威雄『図解　金型がわかる本』（日本実業出版社）
吉田弘美『トコトンやさしい金型の本』（日刊工業新聞社）
森重功一『図解入門　よくわかる最新金型の基本と仕組み－三大金型を中心に学ぶ、金型のイロハ－日本製造業を支える金型の基礎知識』（秀和システム）
長山勲『自動車エンジン基本ハンドブック－知っておきたい基礎知識のすべて』（山海堂）
エンジンテクノロジー編集委員会編『自動車エンジン要素技術II－進化を続けるテクノロジーのすべて』（山海堂）

※他に新聞、経済誌、週刊誌、インターネットサイトからも情報を得た。

対談

池上彰×真山仁

「新刊展望」二〇〇九年六月号の「対談　この国の現実、そしてこれから」より収録いたしました。

■小説に切り取られた現実

池上　『レッドゾーン』はたいへんおもしろくて、一挙に読んでしまいました。真山さんは『ベイジン』から中国の話を書かれていますが、今回は『ハゲタカ』シリーズ三作目として中国の国家ファンドを題材にされたわけですね。『ハゲタカ』で描かれた世界は、あれを書かれた当時まさに起こり得ることだったし、今回『レッドゾーン』を読んでも、これからは確かに政府系ファンドが出てくるだろうと。今ここにある、そしてこれから起こるであろう現実が切り取られているという感じを受けました。

真山　ありがとうございます。光栄です。私は池上さんの『14歳からの世界金融危機。』を拝読して、この世界をよくこれだけコンパクトにわかりやすく収められたものだと思いました。こんな長いものしか書けない自分は、まだまだ修業が足りないなと。

池上　いえいえ、とんでもない。

真山　日本の良くないところは、何が起きているのかがわからない段階で批判することだと思います。金融のプロでも、池上さんがお書きになっていることのおそらく半分も知らないでしょう。サブプライムローン問題にしても、発端は去年（二〇〇八）より以前からあって、すべてがつながっていますよね。グローバルスタンダードによって日本が幸せになった部分と、別の副作用が今起きている。それらをこのようにわかりやすく書いていただくことによって、我々はまず知ることができます。そして小説は、そこに身を投じて体験してみることで何が起きているかを知る、その一助になればと。小説を書く私としては、何が起きているかをまずこちらが理解し、その上で起こり得る可能性をいかに使っていくかが重要なのだと思います。

池上　金融の世界、ファンドの世界を知らない読者にいかにわかりやすく伝えるか。そこはまさに腕の見せどころですね。説明的になってはいけないし、あくまでも登場人物たちのやりとりによってわかりやすく説明させるわけですから。

真山　説明を説明として書いてしまうと、せっかくの丁々発止のやりとりが止まってしまうんです。『ハゲタカ』はまだ地の文に頼っていたところがありましたが、地の文の説明を入れないで会話だけで、お勉強の要素はできるだけ抑えて、大変なことが起きているという空気をいかに感じてもらえるか。そこで池上さんの本をあわせて読んでいただくと、「背景でこういうことが起きているからこそ、人がこんなふうにヒリヒリするんだ」とよくわかるかもしれませんね。

池上　一言で「政府系ファンド」とよく言いますが、中国の国家ファンド（CIC）は異質なんですね。それは目から鱗でした。

真山　「どうせ捨てる金なら上手に使えばいい」という発想です。だから、すさまじく怖い。

池上　怖いですね。そんな怖い、したたかな中国と我々は向き合っていかなければいけないんだよという作者のメッセージが伝わってくるわけですが、一方でこの小説には、ニューヨークでの仕事を断り故郷の上海に戻って弁護士になる女性・謝慶齢《シェチンリン》と彼女のおばあちゃんのような人物も出てきます。CICのように嫌な中国人ばかりではなく、中国の本当の発展を考えている人たち。それがすごく良かったです。

真山　ありがとうございます。『ベイジン』を書くときからずっと中国に取材に行っていて、通訳が北京大学の留学生だったこともあり、中国の若者たちと知り合いになりました。彼らは非常に頭が良く、バランス感覚もある。日本に興味を持っていて、身に付けているのも日本のブランドです。反日感情などというのはメディアが報じているだけ、もっと正しく見てほしいと言う。我々のイメージする中国人とは全然違うんです。中国人はメンツで生きている、日本が嫌い、そういうイメージを作ることで得をする人がどこかにいるということですね。

池上　謝慶齢と彼女のおばあちゃんの乗った車が坂道でエンコしてしまう場面がありましたね。土砂降りの中、見知らぬ人たちが一生懸命車を押してくれて、走り出したらみんなで肩をたたき合って喜んでくれたというエピソード。ここには確かに等身大の中国が描かれていると感じられました。

真山　少し前まで、日本人の中国に対するイメージはたぶんこうだったと思います。そういう面がなくなったわけではなく、お金と発言力を持つ新しい層が前面に出てきただけなんですね。取材に行ってもそういう人はたくさんいました。

■この国への思い

池上　主人公の鷲津は他の人から見たら「ハゲタカ」、とんでもない外資だと思われているわけですが、実は彼の心の内にある思いはまったく違うものですよね。今回一段と思いました。鷲津って愛国者じゃん、と（笑）。

真山　私としては、鷲津が正義の味方になってはいけないというジレンマがあります。ただ、彼の愛国者的な面には根拠があるんです。日本で外資系金融機関のトップをされた方何人かに、引退後何をしたいかを質問したとき、答えはみんな同じでした。「この国を良くしたい」。アメリカにこんなに好き勝手されている日本はだめだと。「自分が今まで得たお金は、日本を良くする政治のためならいくらでも使いたい」と言う人は多かった。海外旅行をして日本の良さを知るのと同じで、外資に身を置くことによって何か目覚めるものがあるのだろうと感じました。

池上　わかります。「日本を買い叩く」というのはある種虚無的な気持ちなんでしょうね。この国はもうどうしようもない、買い叩いてやる。そう考えるのは、日本へのさまざまな思いが裏切られてきたということですよね。愛国心の裏返しです。

真山　かわいさ余って憎さ百倍と。金融はシステムであり、経済の血液ですが、一方でそこに人間が介在することで非常にメンタルな面が生じます。だから下手すれば好き嫌いで会社が買われたり救われたりするわけですね。リーマンの破《は》綻《たん》もそれが大きかった。そんなメンタルな部分を描くのも、小説の役割かもしれません。

池上　ホリエモンが一時あれほどもてはやされたのは、鷲津のあの感じですよね。日本はもうどうしようもない、何とかしたい。そんな思いから「この国を買い叩く」と。私もホリエモンは決して好きではなかったけれども、でもあの言い切ってしまうところに何か爽快感があって、いわゆる規制の連中がオロオロするのをどこかおもしろく見ていました。その反動として、さまざまな買収ができなくなる方向になり、そこで今回の金融危機以降、「それ見たことか」状態になっているわけですね。それが確かな一方で、新自由主義の危機感がいろいろ出たけれども、全部否定していいのだろうか、また昔のどうしようもない日本に戻ってしまうのではないかという思いもあります。

真山　失われた十五年、二十年と言われた中をなんとか少し良くしたのは、実は頑張って扉を開けたからで、東京市場が国内の力で上がったわけではないんですね。池上さんの本にも書かれていますが、余った金が来たからこそ株価が上がったわけです。なのにメディア、特に新聞はそこをほとんど報道しなかった。景気が良くなって良かったと。今起きていることは当たり前で、アメリカやヨーロッパの経済を見ていれば、落ちるんですよね。そこでやっぱり外国と付き合うのはやめようよと言い出す発想。これでは外交で勝てないし、国際的競争も難しい。

池上　そうですね。アメリカのハゲタカが怖いから付き合わないほうがいいと言っていると、じゃあ中国が出てきたらどうなるのか。中国版のハゲタカが出てきたら。

真山　今までのビジネスは、先進国のルールで動いていました。確かにアメリカのハゲタカはすごくシビアですが、でも実はルールの中で勝負している。いわばラグビーとアメリカンフットボールのようなもので、防具を付けていたアメリカと、ユニフォームだけの日本が戦っていた。そこにいきなり甲冑《かっちゅう》を着た中国が入ってきたらどうなるか。それをルール違反だとは言えない時代が、たぶんもうそこまで来ています。これからロシアやインドの経済が伸びてくれば、先進国のルールではもう立ち行かない。我々はそれに備えられているのか。鎖国していた日本が扉を開けたとき以上の覚悟が今試されているのに、何もしていないのではないかという危機感があります。

池上　しかしそこで、真山さんの日本経済に対する愛情があちこちに出ているんですよね。ものづくりのところの話や、アカマ自動車がコンプライアンスを貫くところも……。

真山　コンプライアンスに関しては、時代に備えてできているところと、古い体質でできていないところ、そこがこれから生き残れるかどうかの大きな差になってくるのだろうと思います。

■虚構が現実にクロスするとき

池上　『レッドゾーン』をまさに連載中、世界金融はこんな状態になってしまったわけですよね。そこでストーリーへの影響は何かありましたか。

真山　これでは予定したように終われないなというところはありました。ただ、世界がこれほど変わったからこそ、想定しているラストによりリアルさが加わったように思います。もしかすると逆にラッキーだったのかもしれない。時代の流れを横で見ながら、世界の経済再生の一つの方法を提案するようなものが最終的にはできたかなと思います（笑）。

池上　本当にそうですね。これが一つの解決方法ではないかと。

真山　世界の自動車市場に今必要なのはガソリンをジャブジャブ使う車をやめること、そして労働貴族を減らすことだと思います。

池上　ですから、自動車業界の状態をリアルタイムに横目で見ながらこの小説を読めば、非常に説得力があるわけです。

真山　ありがとうございます。

池上　真山さんのその創作の秘訣は何なのでしょうか。それだけのものを取材できるというのは。

真山　池上さんも同じだと思いますが、取材で人から話を聞くときは自分の言葉に換えて吸収しますよね。その上で、「ならば、こういうことは起きますか」という相手への質問がキーになる。可能性を探るということです。現実では「あり得ない」で終わることも、小説を普段お読みになっている取材対象者だと「おもしろい」と言ってくれる。「ならば、何がクリアできれば現実になるのか」という質問ができるようになったんです。

池上　松本清張の取材がそうだったらしいですよ。たとえば法医学の専門家を呼んできて、食事をして話をする。ひたすら話を聞いた後に「ではこういうことはありますかね」とやるんだそうです。「そんなことはあり得ない」と言われると、「たとえばこういう場合は？」「そんなことはあり得ない」。そんなやりとりを何度もしているうちに「そういうことならトリックとしてあり得るかもしれない」といった話を最終的に引き出していったそうです。

真山　私も「あり得ない」と言われ続けました。『バイアウト』の取材をしたとき、「総合電機メーカーをファンドが買うことはあり得ますか」と聞くと、十人中九人は「絶対あり得ない」。ところがある方だけは「おもしろい。自分ならやるかもしれない」。それで可能性を探っていったんです。『レッドゾーン』では最初に上海と香港に行って取材をしましたが、そこでも「あり得ない」と一笑に付されました(笑)。ところが、キーは上海ではなく北京にあったんですね。そんなふうに一つの仮定をぶつけてみる。それと、強調されているのは意外に現実とは反対のことだったりするので、そこを一生懸命掘っていく。そうすることで、小説の嘘っぽい話が少しずつ現実とクロスしていくのだと思います。

池上　それは非常によくわかります。

■歴史に学べ

池上　私は『14歳からの世界金融危機。』と題して、とりわけ去年のリーマン・ショック以降のことを書いたわけですが、真山さんは作家の立場でこの現実をどう見ていらっしゃいますか。

真山　なぜもっと深刻に考えないのだろうというのが正直なところです。日本は深刻度が足りない。政党同士の争いをしている場合ではなく、挙国一致内閣で経済を立て直すことでも考えないと。おそらくアメリカに続いてこの後中国が大変なことになって、両方の影響が最後に日本に来て、もうそのときには日本はどこにも頼れない。頼みの綱がなくなった日本はどうするのか。メーカーが伸びるためには内需拡大しかないわけで、強権発動してでも一つの政策を打ち出していかなければいけない、そういう時代に来ていると思います。オバマ大統領の登場を日本人は映画スターの登場のようにしか見ていませんが、あの国がアフリカ系を大統領にしたということには、最後の手段的な切実感があるわけです。サルコジを大統領に選んだフランスも、元財務大臣のブラウンを首相にしたイギリスも然《しか》り。なぜこの国だけが、こんなにのほほんと日々変わらない生活をしているのか。怖いですよね。

池上　『14歳からの世界金融危機。』の続編として、『14歳からの世界恐慌入門。』がまもなく出ます（二〇〇九年五月）。サブタイトルは「1929年を知れば、2009年が見えてくる！」としました。二〇〇九年と一九二九年はそっくりなんです。それと、今回調べてわかったことがあります。私たちは世界史の授業で習って「一九二九年に世界恐慌が起きた」と思っていましたよね。ところが、「一九二九年のウォール街での株価暴落をきっかけに」であって、実は世界恐慌は一九二九年には起きていないんですよ。

真山　そうなんですか。

池上　一九二九年に起きたのは、ニューヨークの株価の暴落だけです。その後、共和党のフーバー政権が手をこまねいている間に一九三〇年、三一年、三二年と世界恐慌になっていくんです。そして日本では、世界恐慌に巻き込まれる数年前に日本独自の金融恐慌が起きています。

真山　昭和二年（一九二七）の昭和金融恐慌ですね。

池上　東京渡辺銀行がつぶれるなどしましたが、実はそれで不良債権が一掃されています。世界恐慌に日本も巻き込まれたときには、金融機関、銀行の倒産はあまりなかったんです。その代わり、アメリカへの輸出産業である生糸が壊滅状態になって、日本はどうしようもなくなる。今はそれが自動車ですから、そっくりなんですよ。

真山　よく思うんですが、こんなに歴史小説の好きな国民が、なぜ歴史から学ばないのか。

池上　そのとおりですね。あのときアメリカは、フーバーではだめだ、共和党ではだめだということで民主党のルーズベルトが大統領になりました。これもまた今回とそっくりです。

真山　ただ、当時の金融は今に比べると考えられないくらい小規模でしたよね。今はこれだけ規模が大きく、しかもアメリカで風邪をひくと東ヨーロッパやアフリカで死人が出るくらいつながってしまっている。オバマのグリーンニューディール政策に期待は集まっていますが、果たして環境だけで変わるのかというところもあります。

池上　あくまでも記号なのだと思いますね。「自動車を救済する」と言うのはまずいから、「グリーン」の観点でやれば理屈が立つのかなと。

真山　オバマがすごいのは、言葉の力をよく知っていることですね。演説集が日本でもベストセラーになるくらいですから。こういう時期だからこそ人は言葉によって一喜一憂するのであり、影響力のある人がどういう言葉を使うかが重要なんです。エンターテインメントも啓蒙書も、ただおもしろい、なんとなくわかった気になれるというのではなく、もう一言「こんな生き方をしませんか」と言えるものを発信することが大切な時代にきていると思います。私たちはもっと自分の足できちんと立ち、自分の頭を使って自問自答する時間を持たなければいけない。ただの床屋談義で終わっていては、気づいたときにはこの地球から日本が消えているかもしれない。そのくらいの危機が来てもおかしくないと思うんです。

池上　その意味では、今の政治家の発信力にはがっかりですよね。こんなときだからこそ、まさに「みぞうゆう」のときだからこそ（笑）、きちんとした発言が必要なのに。

真山　怖いのは、こういうときにヒトラーみたいな人間が出てくる確率が高くなることですね。リーダーとして出てくる人は、正しい方向に導いてくれる人なのか、扇情的にあらぬ方向に持っていく人なのか。最近出版される本にやたら「テロ」の言葉が増えているのは、明らかに「この国を一回つぶしましょう」というムードが出てきているからだと思うんです。

池上　そうですね。

真山　我々はこれから何年かで歴史の体験者になるのだろうと思います。当事者になるわけですね。

池上　怖いですよね。一九二九年世界恐慌のときは、ナチスドイツが台頭し、あるいはイタリアにファシズムが広がっていきました。今、イタリア、特にローマでは外国人に対する襲撃がすごいでしょう。ドイツではトルコ系に対する襲撃があり、フランスも。各地でロマ人が襲撃対象になっていますね。八十年前と同じことが起きているわけです。

■ルールを作る力

池上　八十年前と同じように保護主義、ブロック経済も始まっています。そこで注目したいのが、八十年前はヨーロッパから農産物を買わないという保護主義だった。

今は「バイ・アメリカン」以外に「ハイヤー・アメリカン」が保護主義の中に入っているんですね。今回の金融再生で支援を受けた金融企業はIT関係で技術者を雇用する際には外国人でなくアメリカ人を優先するようにと。つまり雇用にまで保護主義が広がっていることで、人の流れが止まってしまう。これは怖いです。

真山　アメリカは自国の再生のためなら自由経済をなくしてもいいとさえ平気で思っているんでしょう。それくらい傷んでいる。そこに寄りかかってきた日本はひとたまりもなくなります。

池上　私が一つ思ったのは、ルールへの向き合い方です。ルールを与えられたものとしてとらえ、ルールの中でどう頑張るかが日本ですね。アメリカはルールを変えること、ルールを作るところから始めるんです。たとえば東京オリンピックで日本が金メダルを独占すると、競技のルールが変わる。世界の大学ランキングで東大が低いのは、ルール作りをしている場に日本の大学関係者がほとんど行っていないからで、日本に有利なポイント計算ができるようにルールを変えれば、東大も京大もランクが跳ね上がるそうなんです。日本は「ルールを変えたらけしからん」と言うでしょう。そうではなくて、ルールを変えるところから参加すればいいわけです。

真山　外資系投資銀行やファンド、いわゆるハゲタカが日本に来た当初はまず、日本の法律を徹底的に読破して、どこが自分たちと違うかを研究したそうです。たとえば日本に利益相反の罰則がないとわかると、そこは否定しないでひたすら黙って利益相反する。文句を言われたら、「アンフェアかもしれないけど法律違反ではないでしょう」。さらに、自分たちが動き難ければ政治家との関係を強化して、グローバルスタンダードの言葉のもとに法律を変えましょうと言う。日本の金融法が半年くらいでどんどん変わったのは、実は外資が圧力をかけていたからです。ルールを変えるという発想を、日本人はそろそろ持たなければいけませんね。

池上　ＢＩＳ規制（自己資本比率に関する国際統一基準）もそうですよね。日本叩きのためにルールを変えられたようなところがあった。そこで今日の対談の一つの結論にもなりますが、『レッドゾーン』で真山さんがお書きになったのは、「日本、頑張れ」という話であると同時に、この金融危機において日本は「ルールから作る」力を持っていかなければということですね。今後、中国と立ち向かうにあたっても。

真山　中国を巻き込んだルールを作って、何かあったら中国にものを言ってもらうのも日本のこれからの一つの方法ですよね。アメリカにとって日中が一緒になるのは大きな脅威ですから。極端な話をすると、軍事基地が欲しければアメリカの代わりに人民解放軍がいてもいい（笑）。それくらい発想の転換をしないと。中国人の方の何人かは酒の席でこんなことを言ってましたよ。「大東亜共栄圏の発想は正しかったと思う。ただ、そのやり方が大きな間違いだっただけだ。これから中国はそういう発想を大事にしたい」

池上 本音の部分でしょうね。アジア共通通貨についても、日本が言うと大東亜共栄圏の考え方だと糾弾されるから日本の立場からは言えませんが、いずれは。

真山 つまらないことにこだわらなくてもいい。そういう大人の交渉を日本人がもう少し覚えると、もっとこの国は生きながらえていくと思うんです。

池上 ところで、映画「ハゲタカ」も公開(二〇〇九年六月)になりますね。原作者としてはどこまで関与されたものなんですか。

真山 原作をそのまま映像化するのは当然無理だと思うし、原作者の意向が、良い映像作品作りの妨げになると結局誰も幸せになれないのだから、テーマさえ変えなければ、あとはお好きに作ってください、相談にはいくらでも乗りますが基本的には自由に作っていただいて構いませんと。それは、ドラマのお話をいただいたときから一貫して言っています。

池上 それは脚本家や監督の方も喜ばれたことでしょう。原作が映画になると、結末が違っていたりすることもよくありますが……。

真山　ドラマも小説とは違う結末です。登場人物も半分違って、ドラマだけに出てくる人もいたり。主人公の鷲津の年齢も経歴も違います。それでも脚本は見て欲しいと言われていてずっと見ていましたし、ディレクターの方たちと何度も飲みに行っては主人公像について話し合ったりしていました。私がドラマを見て思ったのは、小説とドラマは違うものから始まっているけれども匂いは同じだと。一つの根っこから違うものができたという感覚がすごくあります。

池上　なるほど。いいですね。根っこは同じ。

真山　同じ時代の物語ですが、小説で光が当たっていなかったことにドラマで光が当てられている。だから、ドラマから入られた方も小説から入られた方も両方が全然違和感なく楽しめたと思うんです。映画化の話はドラマが終わったときから進んでいました。監督の大友啓史さん始め、ドラマの製作チームが映画も撮っています。私自身、映画やドラマは好きなので、非常に貴重な体験でした。

本書はフィクションである。登場する企業、団体、人物などは、全て架空である。

また、扱っている出来事や事件は、著者の想像の産物である。時として小説世界の中で、現実に起きた世界の真相を推理するという手法がとられる場合がある。だが、本書で扱っているのは、そうした現実世界での出来事の暴露ではない。

その一方で、企業買収を取り巻く環境については、可能な限り事実に即して書いたつもりである。もしそこに誤解や誤認があった場合は、ひとえに著者の不勉強と不徳の致すところに過ぎない。ご指摘を賜れば、版を重ねる際に修正させていただきたい。

著者

本書は、二〇〇九年四月に小社より単行本として刊行されました。

|著者| 真山 仁　1962年、大阪府生まれ。同志社大学法学部政治学科卒業。読売新聞記者を経て、フリーランスとして独立。2003年大手生命保険会社の破綻危機を描いた長編『連鎖破綻　ダブルギアリング』（共著・香住究名義、ダイヤモンド社）で小説家デビュー。以後、熾烈な企業買収の世界を赤裸々に描いた『ハゲタカ』（講談社文庫）が現在の筆名での第一作となる。他の著作に、『ハゲタカII』（『バイアウト』改題）『虚像の砦《メディア》』（ともに講談社文庫）、『マグマ』（角川文庫）、『ベイジン』（幻冬舎文庫）、『プライド』（新潮社）などがある。
公式ホームページ
http://www.mayamajin.jp

レッドゾーン(下)
真山《まやま》 仁《じん》

2011年6月15日第1刷発行
2011年7月4日第2刷発行

発行者――鈴木　哲
発行所――株式会社　講談社
東京都文京区音羽2-12-21　〒112-8001
電話 出版部（03）5395-3510
　　 販売部（03）5395-5817
　　 業務部（03）5395-3615
Printed in Japan

講談社文庫
定価はカバーに
表示してあります

デザイン―菊地信義
本文データ制作―講談社デジタル製作部
印刷―――株式会社廣済堂
製本―――株式会社千曲堂

ISBN978-4-06-276993-8

講談社文庫刊行の辞

二十一世紀の到来を目睫に望みながら、われわれはいま、人類史上かつて例を見ない巨大な転換期をむかえようとしている。

世界も、日本も、激動の予兆に対する期待とおののきを内に蔵して、未知の時代に歩み入ろうとしている。このときにあたり、創業の人野間清治の「ナショナル・エデュケイター」への志を現代に甦らせようと意図して、われわれはここに古今の文芸作品はいうまでもなく、ひろく人文・社会・自然の諸科学から東西の名著を網羅する、新しい綜合文庫の発刊を決意した。

激動の転換期はまた断絶の時代である。われわれは戦後二十五年間の出版文化のありかたへの深い反省をこめて、この断絶の時代にあえて人間的な持続を求めようとする。いたずらに浮薄な商業主義のあだ花を追い求めることなく、長期にわたって良書に生命をあたえようとつとめるところにしか、今後の出版文化の真の繁栄はあり得ないと信じるからである。

同時にわれわれはこの綜合文庫の刊行を通じて、人文・社会・自然の諸科学が、結局人間の学にほかならないことを立証しようと願っている。かつて知識とは、「汝自身を知る」ことにつきていた。現代社会の瑣末な情報の氾濫のなかから、力強い知識の源泉を掘り起し、技術文明のただなかに、生きた人間の姿を復活させること。それこそわれわれの切なる希求である。

われわれは権威に盲従せず、俗流に媚びることなく、渾然一体となって日本の「草の根」をかたちづくる若く新しい世代の人々に、心をこめてこの新しい綜合文庫をおくり届けたい。それは知識の泉であるとともに感受性のふるさとであり、もっとも有機的に組織され、社会に開かれた万人のための大学をめざしている。大方の支援と協力を衷心より切望してやまない。

一九七一年七月

野間省一